RICHARD
ASSUIED

ANNE-MARIE
RAGOT

CE1

Livre de Français

CAHIER D'ACTIVITÉS 2

Ce cahier appartient à :

www.orthographe-
recommandee.info

Cet ouvrage est rédigé avec
l'orthographe recommandée par
le ministère de l'Éducation nationale.

Hatier

SOMMAIRE

© Hatier, Paris, 2015

ISBN : 978-2-218-98804-2

7 Les cinq sens

1 Quand je vois quelque chose de loin, je le vois tout petit.

• Je dis ce que je vois de loin.

• Je dis ce que je vois quand je me rapproche.

2 Regarde ces objets et imagine ce que tu peux sentir si tu les touches.

sec						
mouillé						
froid						
chaud						
dur						
mou						
lisse						
rugueux						
piquant						

• Il reste encore quelque chose que tu ne peux apprendre qu'avec tes yeux.
Réfléchis bien.

Je sais regarder

Tous ces personnages regardent quelque chose,
mais ils ne regardent pas de la même façon.
J'explique comment ils regardent.

elle observe

elle cherche – elle examine elle étudie Elle veut savoir. – Elle est curieuse. les détails – une loupe

elle admire

Oh ! – Elle est émerveillée. Comme c'est beau ! – C'est magnifique. C'est merveilleux. – C'est superbe. Bravo !

il guette

il attend – il surveille Il reste immobile. Il ne fait pas de bruit. Il est patient.

il surveille

il protège – il garde il veille sur… Il fait attention. Il regarde au loin.

7 Le son /k/ comme au début de **canard**

1 J'ouvre l'œil et je dis ce que je vois.
Je tends l'oreille et j'entoure les dessins quand j'entends /k/.

2 Je classe les mots.

un haricot – un coq – une question – le parking – un biscuit – le karaté – un klaxon
un bouquet – le piquenique – un kilo – un coquillage – une activité – les baskets

c	qu – q	k

3 Je complète les familles de mots : j'écris le son /k/.

• famille de conte : ra___onter – un ___onteur

• famille de décor : dé___orer – un dé___orateur – une dé___oration – dé___oratif

• famille de clair : un é___lair – é___lairer – l'é___lairage – une é___laircie

4 Je complète avec **c** ou **qu**.

  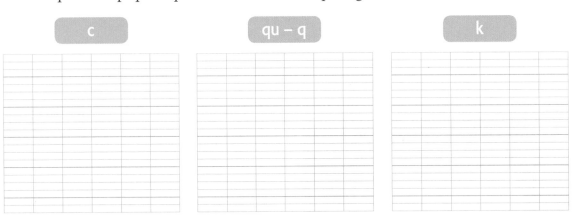  

un ar___   une bar___e   une ___raie   un ___ollier   un re___in

J'écoute et je comprends

1 Je distingue les sons.
J'écoute les mots. Je me demande : est-ce que j'entends
/k/ comme au début de *canard* ?   /g/ comme au début de *gant* ?

Je coche.

	1	2	3	4	5	6	7	8	9	10	11	12
canard												
gant												

2 J'écoute. Puis je réponds aux questions.

1. Que se passe-t-il ce matin ?

   Ce matin,

2. Quelle boutique Sacha va-t-il trouver dans cette rue ?

   Sacha va trouver

3 VRAI ou FAUX ? J'écoute, puis je coche ce que j'ai compris.

1. Le chat voit très loin. .... VRAI ☐   FAUX ☐

2. Le chat sent très bien les odeurs. .... VRAI ☐   FAUX ☐

3. Le chat frotte sa tête contre son maitre
   parce qu'il aime les caresses. .... VRAI ☐   FAUX ☐

4. Le chat retrouve son chemin grâce aux odeurs. .... VRAI ☐   FAUX ☐

5. Si tu approches ta main de la tête d'un chat qui dort,
   tu le réveilles. .... VRAI ☐   FAUX ☐

6. Le chat a des antennes. .... VRAI ☐   FAUX ☐

7. Dans la nuit, le chat repère les obstacles avec ses moustaches. ...... VRAI ☐   FAUX ☐

7 Quels sons écrit-on avec la lettre x ?

1 Dans chaque colonne, il y a un intrus. Je le barre. ———————

un klaxon	un exemple
un taxi	un exercice
exagérer	examiner
l'extérieur	l'index
un texte	exact

2 Je forme les familles de mots. J'écris les mots à leur place dans le tableau. ———————

exactement – fixe – excuser – examiner – expliquer – exercer – exagération – exprimer

gz	examen	exact	exercice	exagérer
ks	explication	expression	fixer	excuse

Le labyrinthe ————————

Pour sortir du labyrinthe, je prends le chemin des mots
où j'entends **ks** comme dans **explorateur**.

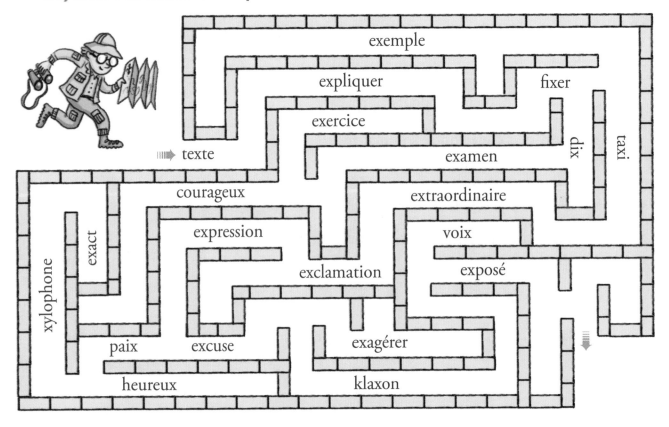

8 •

J'écris de mieux en mieux

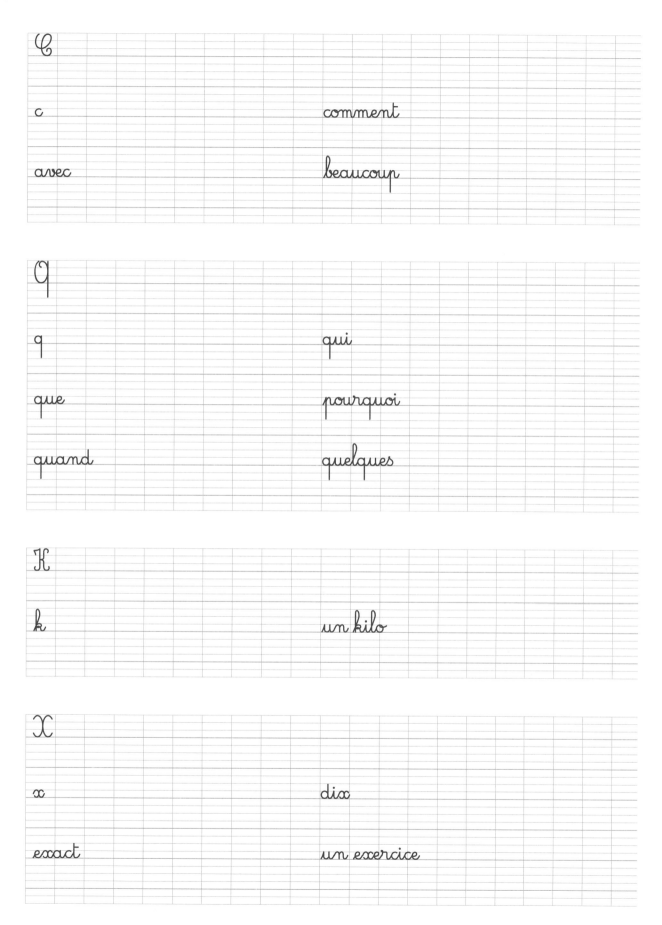

C

c   comment

avec   beaucoup

q

q   qui

que   pourquoi

quand   quelques

K

k   un kilo

X

x   dix

exact   un exercice

J'écris de mieux en mieux

7 Les pronoms il, elle, ils, elles

- Les pronoms **il**, **elle**, **ils**, **elles** reprennent un groupe nominal ou un nom propre.
- Quand je les utilise, je dois d'abord dire de qui ou de quoi je parle.
  - Un groupe nominal **masculin singulier** est repris par **il**.
  - Un groupe nominal **féminin singulier** est repris par **elle**.
  - Un groupe nominal **masculin pluriel** est repris par **ils**.
  - Un groupe nominal **féminin pluriel** est repris par **elles**.

J'écris le pronom qui convient.

> *La pluie arrive,*   *tombe avec force.*
> *Des nuages passent.*   *cachent le soleil.*

Quand je dois écrire *il*, *elle*, *ils* ou *elles*, je ne me trompe pas sur le masculin ou le féminin parce que j'entends la différence. Je dois faire attention à ce que je n'entends pas : singulier ou pluriel ?

1 Après le groupe nominal, j'écris s'il est masculin (**M**) ou féminin (**F**), au singulier (**S**) ou au pluriel (**P**). Puis je complète avec **il** ou **elle**, **ils** ou **elles**.

1. Les pies (   ) sont intelligentes. _____ luttent en groupe contre les chats.

2. Ce pantin (   ) est ancien. _____ a plus de cent ans. _____ est fragile.

2 Je complète avec le pronom qui convient.

1. La pirogue est une barque longue et étroite. Souvent _____ est taillée dans un seul tronc d'arbre.

2. Les cargos sont des gros bateaux. _____ transportent des marchandises. _____ circulent sur toutes les mers du monde.

3 Je complète le texte avec **il**, **elle**, **ils** ou **elles**.

Augustin s'est mis en colère ce matin quand _____ a vu son cerisier.

Dans la nuit, les oiseaux se sont régalés : _____ ont mangé toutes les cerises !

Il y a des noyaux partout, _____ couvrent le sol.

Une seule cerise reste sur l'arbre, _____ est verte.

Les oiseaux ont le bec fin : _____ choisissent bien leurs fruits.

Exactement comme ma maman quand _____ fait ses courses au marché !

L'accord au présent avec **il**, **elle**, **ils**, **elles**

- Au singulier avec **il**, **elle**, le verbe au présent se termine par
  - **e** quand son infinitif se termine par *er*
  - **t** pour presque tous les autres verbes.
- Au pluriel avec **ils**, **elles**, le verbe au présent se termine presque toujours par **ent**.

J'entoure la terminaison du verbe.

il observe – elle écrit – elles réfléchissent – ils étudient

1 Je conjugue le verbe avec le pronom donné.

regarder : il   elles
dire : elle   ils
toucher : il   ils
connaitre : elle   elles

2 Je complète : j'écris le verbe au présent.

Le vent souffle fort. Il *(faire)* _____ tourbillonner la poussière.

Les gens se protègent le visage, ils *(fermer)* _____ les yeux.

Des branches cassent, elles *(tomber)* _____ sur les routes.

Puis la tempête faiblit, elle *(diminuer)* _____ .

Enfin le soleil revient, il *(apparaitre)* _____ à travers les nuages.

3 Je choisis l'écriture du verbe qui convient. J'écris l'infinitif du verbe.

1. Trois enfants sont sur la plage. Ils ~~joue~~ / jouent (*jouer*).

   Un autre enfant écrit / écrivent (_____) des noms dans le sable.

   Mais des vagues arrivent. Elles efface / effacent (_____) tout !

2. La dompteuse est face au tigre. Elle tient / tiennent (_____)

   un cerceau enflammé. Elle ordonne / ordonnent (_____)

   au fauve de sauter. Le tigre hésite / hésitent (_____),

   puis il obéit / obéissent (_____).

7 L'ordre alphabétique (3)

Pour ranger des mots dans l'ordre alphabétique :
– quand les deux premières lettres sont les mêmes, je regarde la troisième
– quand la troisième lettre est la même, je regarde la quatrième
– et ainsi de suite.

J'entoure la lettre qui permet de ranger les mots.

baignade – balade – barque – bassin – bateau
mare – marguerite – marin – marmite – mars

1 Où va le mot en vert ? Avant les mots encadrés ? Entre ? Après ? _____
J'entoure ma réponse.

herbe	hélicoptère	hérisson	avant	entre	après
fontaine	fossé	fourmi	avant	entre	après
prendre	préciser	préférer	avant	entre	après
sourire	souffler	souvenir	avant	entre	après

2 Je marque d'une croix la place du mot en orange. _____

famille	facile	faim	fanfare	fauteuil
jumeau	judo	juin	jupe	jus
rassurer	raconter	ramasser	ranger	rapporter
serpent	sérieux	serrure	service	
tourbillon	touriste	tourner	tourterelle	tousser

Le mot-mystère

Je place les mots dans la grille, dans l'ordre alphabétique.

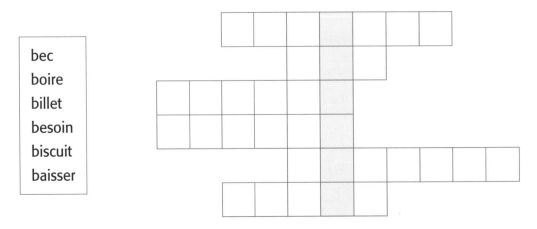

bec
boire
billet
besoin
biscuit
baisser

Je lis un mot dans la colonne verte. Je le recopie. _____

Des yeux pour voir

Des yeux pour voir
Le jour, le soir,
Le petit loir,
Les raisins noirs,
Les raisins verts
Et les éclairs
Dans le miroir.

Des yeux pour voir
Le ciel du soir,
La lune rouge
Un arbre noir…

Des yeux pour voir
Les cheveux blonds
Les cheveux noirs
Les cheveux blancs,
L'ombre du soir.

Des yeux pour voir
Un cœur qui tremble,
Une main tendre.

Pierre Gamarra, « *Des Yeux pour voir* » (extrait de *La Tarte aux Pommes*), © Gamarra

1. Combien y a-t-il de vers dans ce poème ? Combien y a-t-il de rimes en **–oir** ?

2. Relève toutes les différences que le poète voit.

3. Comment peux-tu voir un cœur qui tremble ?
   Comment peux-tu voir une main tendre ?

4. Je continue le poème à ma manière.

7 Je raconte

Dans le jeu de colin-maillard, un enfant, le chasseur, a les yeux bandés.
Il doit attraper et reconnaitre un de ses camarades.
Tous les enfants se dispersent. Ils appellent pour signaler où ils sont.
Ils peuvent bouger légèrement pour éviter d'être pris.

Donne un prénom à l'enfant chasseur et raconte cette partie de colin-maillard.

Les cinq sens

1 VRAI ou FAUX ? Je coche ce que j'ai compris.

1. Avec tes yeux, tu connais la forme des objets. .... VRAI ☐   FAUX ☐

2. Le soleil peut abimer les yeux. .... VRAI ☐   FAUX ☐

3. Tous les animaux voient de la même façon. .... VRAI ☐   FAUX ☐

4. Le lapin voit bien ce qui est devant lui. .... VRAI ☐   FAUX ☐

5. L'éléphant a un mauvais odorat. .... VRAI ☐   FAUX ☐

6. Avec les mains, tu peux savoir si un objet est lisse. .... VRAI ☐   FAUX ☐

7. Tu peux toucher les objets avec tout ton corps. .... VRAI ☐   FAUX ☐

8. Le phoque voit avec ses moustaches. .... VRAI ☐   FAUX ☐

9. L'araignée a des poils sur les pattes. .... VRAI ☐   FAUX ☐

10. Tu peux toucher avec ton nez. .... VRAI ☐   FAUX ☐

2 Avec mes yeux ou avec mes mains ? Je classe les verbes.

Avec mes yeux La vue	Avec mes mains Le toucher

je regarde
j'examine
je caresse
je froisse
je découvre
je frotte
je serre
j'admire

3 Pour chaque sens, j'écris deux plaisirs et deux déplaisirs.

La vue

J'aime :

Je n'aime pas :

Le toucher

J'aime :

Je n'aime pas :

L'odorat

J'aime :

Je n'aime pas :

7 J'écris un texte documentaire (1)

• Pour préparer l'écriture, je lis ces quatre textes.

Chez les zèbres, chaque animal a des rayures différentes. Les zèbres se reconnaissent entre eux grâce à leurs rayures.

Chaque abeille porte sur elle l'odeur de sa ruche. Elle ne peut entrer dans la ruche que si les gardiennes de l'entrée reconnaissent son odeur.

La brebis lèche longuement son petit à la naissance pour lui donner son odeur. La brebis ne se trompe jamais d'agneau, même au milieu d'un immense troupeau.

Toutes les loutres géantes ont une tache blanche au cou. La forme de cette tache est différente pour chaque animal. C'est grâce à cette tache que les loutres se reconnaissent entre elles.

• **Mon texte doit répondre à la question :**
Comment ces animaux se reconnaissent-ils entre eux ?

Je compare les quatre textes. Je me demande :
quels sens ces animaux utilisent-ils pour se reconnaitre ?

titre
introduction

sous-titre
le texte

sous-titre
le texte

Je lis de mieux en mieux

1 Je place les liaisons puis je lis à haute voix.

Le squelette humain est composé de deux-cent-six os.

Les plus petits os se trouvent dans les oreilles. Ce sont les étriers.

On les appelle ainsi parce qu'ils ressemblent aux étriers que les cavaliers

utilisent pour monter à cheval.

Le plus gros os est situé dans la cuisse. C'est le fémur.

C'est aussi l'os le plus long et le plus solide du corps.

2 Je lis le texte silencieusement.
   a. Je me demande : quels mots vont m'aider à trouver la voix pour bien dire les dialogues ? Je souligne ces mots.
   b. Je surligne les dialogues. Je me prépare à les dire avec deux camarades.

Pendant que ses chèvres broutent sur la colline, Valentin se repose

contre un rocher, à l'entrée d'une grotte.

– Qui es-tu, malheureux, pour venir troubler mon repos ? hurle soudain

une voix.

Valentin sursaute. Devant lui se trouve un géant aux immenses dents.

– Je vais te manger, toi et ton troupeau, grogne le monstre.

– Excusez-moi, Monsieur, dit Valentin d'une voix tremblante. Je ne voulais

pas vous déranger.

– Va me chercher immédiatement ta plus belle chèvre, ordonne le géant

d'une voix sévère.

– Mais, mes parents… bredouille Valentin.

– Ne discute pas. Vite !

Valentin se lève, prêt à obéir. Son chien vient se frotter contre ses jambes.

– Pars en courant, Valentin, chuchote-t-il. Je me charge de ramener le troupeau.

Quand des personnages parlent dans une histoire, je cherche toujours s'il y a des mots qui m'aident à trouver la voix pour bien lire.

8 Les cinq sens

Je me promène dans ce jardin. Je dis ce que j'entends dans chaque endroit.

Ma boite à mots

J'aime un peu, beaucoup, pas du tout…

Que se disent les personnages ? Je joue le dialogue avec un camarade.

Est-ce que tu aimes… ?
Est-ce que tu veux… ?
Quel est ton parfum préféré ?

J'aime…
J'aime beaucoup…
Je n'aime pas parce que…
Je préfère…

Est-ce que vous aimez… ?
Est-ce que cela vous plait ?
En voulez-vous encore ?

C'est bon !
C'est délicieux.
C'est appétissant.
Oui, merci. Non, merci.

Pourquoi est-ce que tu n'aimes pas ?
Il faut gouter.
C'est bon pour la santé.

Je n'aime pas. Je déteste.
Je n'en veux pas.
C'est affreux. C'est mauvais, amer…
C'est dégoutant.

Qu'est-ce que tu prends ?
Que choisis-tu ?
Quel est ton plat préféré ?

Je choisis… parce que…
Je prends… parce que…
Je ne prends jamais…
Ce que je préfère, c'est…

8 Le son /j/ comme dans **escalier**

1 J'ouvre l'œil et je dis ce que je vois.
Je tends l'oreille et j'entoure les dessins quand j'entends /j/.

2 Je complète avec **i** ou **y**.
Sur chaque ligne le son /j/ s'écrit de la même façon.

1. un pomm__er – un cah__er – un coll__er – un jardin__er

2. une p__èce – un ch__en – une ass__ette – une mar__onnette

3. un cra__on – un no__au – une ra__ure – un vo__age

Le labyrinthe

Pour sortir du labyrinthe, je prends le chemin des mots
où j'entends /j/ comme dans aventurier.

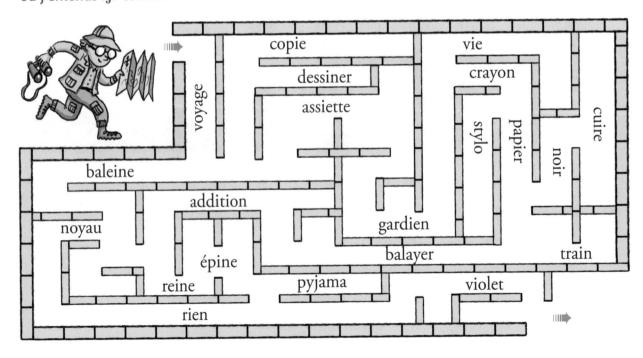

J'écoute et je comprends

1 J'écoute les mots. Je me demande :
est-ce que j'entends le son /z/ à l'intérieur d'un mot ou entre deux mots ?
Je coche.

	1	2	3	4	5	6	7	8	9	10
J'entends /z/ dans le mot.										
J'entends /z/ entre les mots.										

2 Être ou avoir ?
– J'écoute les phrases une première fois. Je me fais une image dans ma tête.
– J'écoute une seconde fois. Je distingue le verbe **être** et le verbe avoir.

Je coche ce que je comprends.

	1	2	3	4	5	6	7	8	9	10	11	12
être												
avoir												

3 J'écoute, puis je réponds aux questions.

1. Que demande Sophie à son papa ?

2. Que se passe-t-il chez madame Picard ?

4 Je lis le texte puis j'écoute.
J'entoure les mots du texte qui ont changé.

Il y a une forêt près de l'école. Nous y sommes allés hier avec la maitresse

pour ramasser des feuilles et pour écouter les chants des oiseaux.

J'ai trouvé une coquille d'escargot et une toute petite pierre rose.

8 Le son /j/ comme dans **papillon**

1 Je classe les mots.

briller – le travail – une feuille – un caillou – une pastille – un conseil
mouiller – la vanille – surveiller – le sommeil – habiller – un quadrillage
travailler – un détail – un écureuil

ll	ill	il

2 Je place le nom des parties du corps.

oreille   pied   orteil   cheville   œil

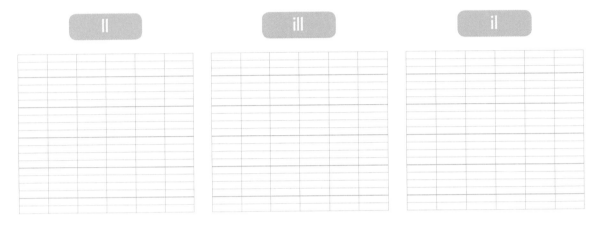

Devinettes

J'écris la solution et je la relie à son illustration.

– Elle se transforme en papillon : _____

– Elle est fragile, mais elle protège l'œuf : _____

– Elle vit au bord des mares : _____

– Elle fabrique le miel : _____

– Tu y jettes tes vieux papiers : _____

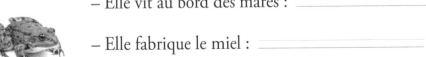

J'écris de mieux en mieux

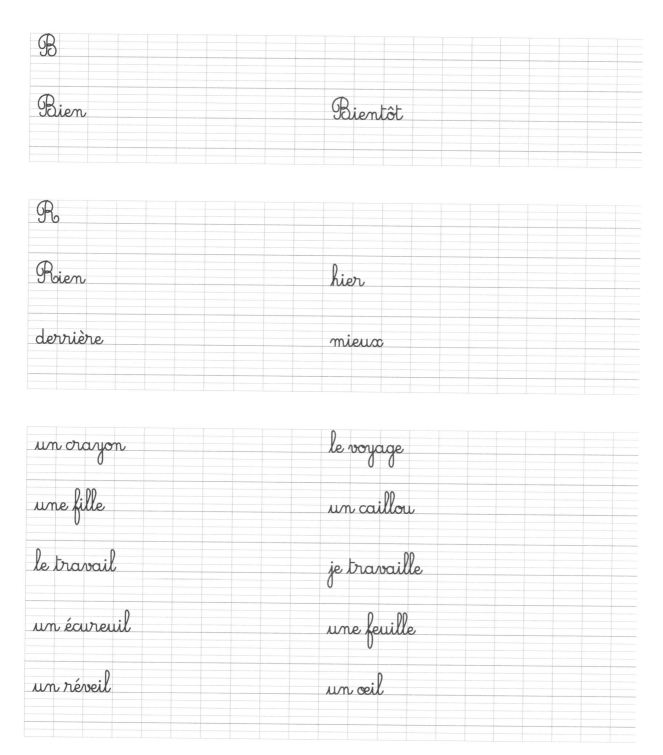

ℬ

Bien   Bientôt

ℛ

Rien   hier

derrière   mieux

un crayon   le voyage

une fille   un caillou

le travail   je travaille

un écureuil   une feuille

un réveil   un œil

Je recopie.

Camille aime les nouilles, la citrouille et la ratatouille.

8 L'adjectif qualificatif

• **L'adjectif qualificatif** apporte des précisions au groupe nominal.

Il se place :

– après le nom

– entre le déterminant et le nom.

J'écris un groupe nominal avec un adjectif placé :

– après le nom.

– entre le déterminant et le nom.

• **On peut préciser un groupe nominal avec plusieurs adjectifs qualificatifs.**

---

1 J'entoure le mot que je peux supprimer dans le groupe nominal.

une musique douce – des chapeaux pointus – une forte pluie

des portes ouvertes – un son aigu – une belle assiette – un énorme nuage

Les mots entourés sont des

---

2 J'entoure l'adjectif qualificatif.
Je le remplace par un autre et je récris le groupe nominal.

un bruit faible –

un gâteau décoré –

une orange amère –

---

3 J'écris un nom pour chaque adjectif.

un	cassé	des	délicieuses
une vieille		un	intéressant
des	magnifiques	*une horrible*	

---

4 J'écris **D** sous les déterminants, **N** sous les noms, **A** sous les adjectifs qualificatifs.

un éléphant gris   –   une belle lionne   –   une oie sauvage

un beau fennec roux   –   une magnifique panthère noire

Le futur

Conjuguer au **futur**, c'est facile.
Les terminaisons sont les mêmes pour tous les verbes.

je ...rai   tu ...ras   il ...ra   elle ...ra

nous ...rons   vous ...rez   ils ...ront   elles ...ront

Je complète les terminaisons du futur.

je mange — tu mange — elle mange
nous mange — vous mange — ils mange

1 Je souligne la phrase qui est au futur. J'entoure le verbe.

La chorale répète. Elle chantera samedi pour la fête de l'école.

2 Je complète avec un pronom de conjugaison qui convient.

danseras –   glisserons –   nagerai
lancerez –   tombera –   descendront

3 J'écris la conjugaison
du verbe **toucher** au futur.

je
tu
il, elle
nous
vous
ils, elles

Puzzle

Je choisis une couleur pour
les verbes conjugués

☐ au futur

☐ au présent.

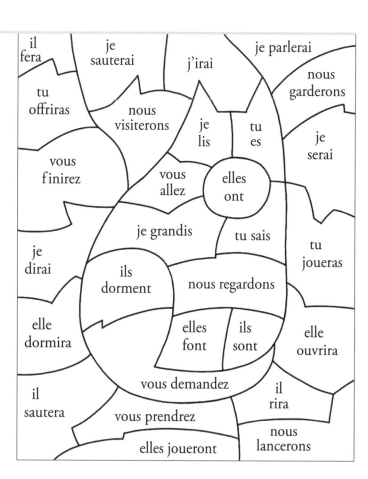

8 Le dictionnaire (1)

Les mots écrits tout en haut des pages du dictionnaire servent
à savoir où on est, à se repérer dans l'ordre alphabétique.
Ce sont des **mots-repères**.

1 J'entoure le mot qui va entre les mots-repères.

malade   manche   main – maison – manège – malheureux – mandarine

tampon   tasse   taxi – talon – taupe – tartine – tambourin

2 Je coche la bonne case.

Je cherche	J'ouvre le dictionnaire. Je lis les mots-repères	Je trouverai le mot		
		dans ces pages	avant	après
braise	cabane cadre			
digue	deviner dévorer			
spirale	souffler soupe			
plein	plastique plier			
flaque	flamme fleur			

3 J'entoure les mots qui se trouvent entre les mots-repères.
Je les recopie dans l'ordre alphabétique.

carrosse   castor   carte – caramel – casserole – casquette – catastrophe

carrosse   _castor_

offrir   ongle   ombre – orage – oncle – opération – oiseau

offrir   _ongle_

Devinettes

Tous les mots se trouvent entre trompette et truc.

1. C'est la partie de la rue où les piétons doivent marcher : _____

2. C'est un creux dans le sol, ou dans un mur : _____

3. C'est un petit sac pour ranger les crayons : _____

4. C'est un groupe d'animaux : _____

Écoute

Écoute les bruits de la nuit
derrière les fenêtres closes.
On dirait que c'est peu de choses,
un pas s'en vient, un pas s'enfuit.

Le dernier autobus qui passe,
quelqu'un qui chante quelque part,
un avion au fond de l'espace,
un voisin qui rentre bien tard.

Le vent caresse sa guitare
et la pluie a pris son banjo.
Il ne doit pas faire très chaud.
Un train a sifflé vers la gare.

[…]

Un chien aboie. Un matou miaule,
on entend glisser un vélo.
La nuit est pleine de paroles
qui viennent de l'air et de l'eau.

Pierre Gamarra, « *Écoute* »
(extrait de *Mon cartable*), © Gamarra

1. À qui s'adresse le poète ? Que demande-t-il de faire ?

2. Que fais-tu quand tu écoutes un bruit ?

3. Imagine les bruits que le poète entend.
   Pourquoi écrit-il *On dirait que c'est peu de choses* ?
   Et si on les écoute, que deviennent-ils ?

4. Avec mes camarades, je fais le silence complet pendant une minute.
   J'écoute tous les bruits, puis je continue la poésie à ma manière.

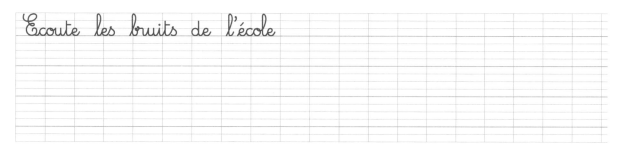

Écoute les bruits de l'école

8 Je raconte

Un bruit inquiète ces enfants. Cherche avec eux d'où il vient.

Les cinq sens

❶ VRAI ou FAUX ? Je coche ce que j'ai compris.

1. Le lapin bouge ses oreilles pour se rafraichir. .... VRAI ☐ FAUX ☐

2. Quand on dévore un gâteau des yeux, on n'a plus faim. .... VRAI ☐ FAUX ☐

3. Avec le nez bouché, on ne sent presque plus le gout. .... VRAI ☐ FAUX ☐

4. La chauvesouris entend des sons que l'homme n'entend pas. .... VRAI ☐ FAUX ☐

5. Le son est une vibration qui arrive jusqu'à tes oreilles. .... VRAI ☐ FAUX ☐

6. Quand tu murmures, tu parles fort. .... VRAI ☐ FAUX ☐

7. Un bruit très fort peut abimer les oreilles. .... VRAI ☐ FAUX ☐

8. Les aveugles n'entendent pas bien. .... VRAI ☐ FAUX ☐

❷ Sous chaque aliment, écris s'il est salé, sucré, amer ou acide.

❸ Quels sont les sens que j'utilise pour … ?
Je coche les cases.

	l'ouïe	le toucher	l'odorat	le gout	la vue
manger					
lire					
jouer au ballon					
regarder la télévision					
faire ma toilette					
faire un gâteau					
écrire une dictée					

8 J'écris un texte documentaire (2)

Je lis la fiche de présentation du chat sauvage.

LE CHAT SAUVAGE

Taille : longueur : 50 à 70 cm de long
hauteur : 35 à 40 centimètres.

Poids : entre 3 et 7 kilogrammes.

Couleur : gris foncé et brun avec une raie noire
le long du dos. Queue épaisse arrondie,
rayée et noire à l'extrémité.

Corps : ressemble au chat domestique. Tête plus grosse. Poils plus épais et plus longs.

Sens très développés : vue, ouïe, toucher (moustaches très sensibles).

Habitat : forêt dans un terrier abandonné ou dans un tronc d'arbre creux.

Alimentation : souris, oiseaux, lapins, poissons.

Je transforme la fiche : j'écris un texte sur le chat sauvage.

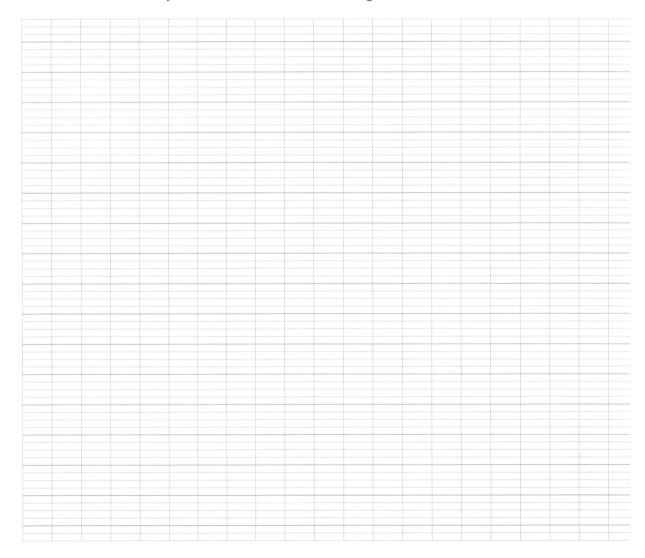

Je lis de mieux en mieux

1 Je place les liaisons puis je lis à haute voix.

Tous les oiseaux ont des oreilles, et ils entendent bien. Mais leurs oreilles

ne ressemblent pas aux nôtres : c'est un simple trou.

2 Je cherche la voix pour bien lire.

Sais-tu imiter les cris des animaux ? Essaie de faire…

GRRRR comme le lion

MIAOU comme le chat

OUAF OUAF comme le chien

BÊÊÊÊÊ BÊÊÊÊÊ comme le mouton

BZZZZZ comme l'abeille

SSSSSSS comme le serpent

HOU HOU HOU comme le hibou

MEUH comme la vache

HI-HAN HI-HAN comme l'âne

3 Dans chaque phrase il y a un mot bizarre.
Je le barre et j'écris le mot qui convient.

1. Aïe ! Léo s'est donné un loup de marteau sur les doigts.

2. Les enfants aiment bien faire des grimaces quand ils se regardent
dans le tiroir.

3. Il manque un mouton à mon manteau. Je l'ai surement perdu !

4. Pendant les vacances, nous ferons un voyage dans le désert
à dos de chapeau.

5. Un orange a éclaté à la sortie de l'école.
Nous sommes rentrés à la maison tout rouillés.

Pour bien lire, je me demande toujours : qu'est-ce que cela veut dire ?
Je fais une image dans ma tête.
Je redis ce que j'ai compris.

L'adjectif qualificatif

✳ Autour de chaque nom, il y a des adjectifs qualificatifs. ───────────
Pour chaque nom, je choisis un adjectif qui convient.
Je recopie le groupe nominal : déterminant + nom + adjectif
ou déterminant + adjectif + nom.

un taxi	vide	une boite	profonde	douce	une voix
verte	plein	grande	nouveau	joyeuse	inquiétant
une chambre	secrète	interdit	ancien	drôle	court
propre	petit	un chemin	merveilleuse	une histoire	intéressante
un pull	long	déserte	anglaise	bizarre	sportif
chaud	étroite	une rue	bruyant	un élève	bavard

L'ordre alphabétique

✳ Je range les mots dans l'ordre alphabétique. ───────────────────

pré   début   phare   sortie   peinture   porte

• J'entoure la lettre qui m'a servi à ranger.
Je recopie les lettres entourées dans l'ordre pour trouver un mot mystère.

Le mot-mystère est ────────────────────

Ce mot est curieux parce que ───────────────────────

Les pronoms **il**, **elle**, **ils**, **elles**

* Je trace quatre traits entre un point du haut et un point du bas, ——————
pour diviser ce cadre en cinq parties.
Chaque partie doit contenir quatre noms :
– un qui peut être repris par il,   – un qui peut être repris par elle,
– un qui peut être repris par ils, – un qui peut être repris par elles.

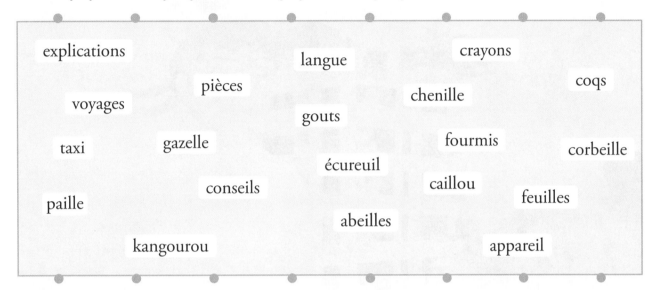

explications
langue
crayons
pièces
coqs
voyages
chenille
gouts
taxi
gazelle
fourmis
corbeille
écureuil
conseils
caillou
feuilles
paille
abeilles
kangourou
appareil

La conjugaison du futur

* Je conjugue les verbes au futur avec le pronom de conjugaison indiqué. ——————
Puis je retrouve le verbe conjugué
dans le jeu de mots mêlés.

L	M	U	R	M	U	R	E	R	A
R	E	G	A	R	D	E	R	A	I
G	L	I	S	S	E	R	A	I	U
P	O	B	S	E	R	V	E	R	A
O	G	O	U	T	E	R	O	N	T
R	M	A	N	G	E	R	E	Z	E
T	A	A	I	M	E	R	O	N	S
E	C	O	U	T	E	R	A	S	G
R	E	S	P	I	R	E	R	A	S
A	N	T	O	U	C	H	E	R	A

aimer   nous _____

écouter   tu _____

glisser   je _____

gouter   elles _____

manger   vous _____

murmurer il _____

observer elle _____

porter   il _____

regarder je _____

respirer tu _____

toucher   il _____

• Avec les lettres qui restent, j'écris le nom de l'organe du gout : _____

9 L'exploracœur

Un géant arrive dans la ville.
J'imagine ce que les habitants se disent.
À deux, nous improvisons une discussion entre deux habitants.

Ma boite à mots

Je décris une personne

1 Voici une photo de famille.
Je décris les personnes.
Je parle aussi de leurs vêtements.

les noms	les adjectifs qualificatifs
la taille	grand – petit – gros – mince
les enfants – les parents – les grands-parents – l'âge	jeune – âgé
le visage	rond – carré – long
les cheveux	blonds – roux – bruns – gris – raides – bouclés – frisés – longs – courts
les yeux	bleus – verts – marron – noirs
le nez	petit – long – droit – retroussé – large
les lèvres	fines – larges – rouges – roses

2 Je choisis un personnage.
Mes camarades ont droit à quatre questions pour le trouver.

9 Le son /ø/ comme dans **feu**
Le son /œ/ comme dans **fleur**

1 J'ouvre l'œil et je dis ce que je vois.
Je tends l'oreille et j'entoure les dessins quand j'entends /ø/ ou /œ/.

2 Je classe les mots.

le milieu – un œuf – bleu – une feuille – un jeu – la queue
le beurre – un nœud – un cœur – le fauteuil

J'entends **/œ/** comme dans **fleur**	J'entends **/ø/** comme dans **feu**

3 J'entoure le mot qui correspond à l'image.

nous – nœud nu – deux	fleuve – fleur feu – fumée	neuf – fille feuille – feutre	volcan – voleur volet – voiture

J'écoute et je comprends

1 Je distingue les sons. ─────────────────────────────

J'écoute les mots. Je me demande : est-ce que j'entends

/ʃ/ comme au début de *chat* ?   /s/ comme au début de *souris* ?

Je coche.

	1	2	3	4	5	6	7	8	9	10	11	12
chat												
souris												

2 Je lis puis j'écoute. ─────────────────────────────

J'entoure le mot de la phrase qui a changé.

1. Thomas est étourdi : il oublie souvent ses affaires de sport.

2. Les petits jouent dans la cour de l'école.

3. Le mardi, nous déjeunons rapidement pour aller au cours de théâtre.

4. Lilou pleure parce qu'elle a perdu ses lunettes.

5. Pour la fête de l'école, nous préparerons des gâteaux au chocolat.

3 Je lis puis j'écoute. ─────────────────────────────

J'entoure le mot qui a disparu.

1. Pour aller à la mairie, prenez la première rue à droite.

2. Faites attention ! C'est une rue étroite qui est très ancienne.

3. La semaine dernière, il y a eu un accident grave. Un piéton a été blessé.

4. Sur la place de la mairie, les jardiniers ont planté des massifs de roses blanches.

5. Vous trouverez les heures d'ouverture affichées sur un panneau à côté de la porte.

4 J'écoute, puis je réponds à la question. ─────────────────

Qui est Émile ?

9 Le son /ʒ/ comme au début de **girafe**

1 J'ouvre l'œil et je dis ce que je vois.
Je tends l'oreille et j'entoure les dessins quand j'entends /ʒ/.

2 Sur chaque ligne, je barre l'intrus.

1. géant – gazelle – gymnastique – gilet – gencive

2. courageux – généreux – fragile – agréable – intelligent

3. agiter – nager – glisser – imaginer – voyager

3 Je complète avec **g** ou **ge**.

une na___oire   une horlo___e   une cour___ette   un bour___on   une auber___ine

4 Je conjugue les verbes qui se terminent par *ger* à l'infinitif.
J'entoure les lettres qui écrivent le son /ʒ/.

ranger	je range	nous rangeons
plonger	il	nous
partager	elles	nous
interroger	nous	vous
diriger	je	nous

J'écris de mieux en mieux

eu

œu

il peut

ils peuvent

un nœud

la sœur

G

g

ge

gi

J

j

jeudi

toujours

jamais

déjà

aujourd'hui

Je recopie les phrases en lettres cursives.

Jeudi, Julie et Georges ont joué dans la neige.

Gisèle, la jardinière, ajoute une jolie tige de jasmin dans son bouquet de roses rouges.

9 L'accord de l'adjectif qualificatif

> • **L'adjectif qualificatif s'accorde avec le nom qu'il précise.**
>
> – Quand le nom est masculin, l'adjectif est au masculin : un chemin étroit.
>   Quand le nom est féminin, l'adjectif est au féminin : une route étroite.
>
> – Quand le nom est au singulier, l'adjectif est au singulier : une route étroite.
>   Quand le nom est au pluriel, l'adjectif est au pluriel : des routes étroites.
>
> • **Pour former le féminin de l'adjectif qualificatif, on ajoute un e au masculin.**
>   Quand l'adjectif se termine par e au masculin, il ne change pas au féminin :
>   un pull rouge, une robe rouge.

1 J'entoure les adjectifs qualificatifs au féminin.

une veste chaude – un pantalon usé – un chapeau jaune – une chemise claire

une couleur foncée – une casquette orange – un bonnet gris – un manteau long

2 J'entoure les adjectifs qualificatifs au masculin.

un temps clair – un gros nuage – une neige épaisse – une forte pluie

un orage terrible – une lune brillante – une tempête effrayante – un beau soleil

3 J'écris S si l'adjectif qualificatif est au singulier, P s'il est au pluriel.

des iles inconnues (___) – un arbre sec (___) – des forêts lointaines (___)

des prés fleuris (___) – un ruisseau calme (___) – une source fraiche (___)

4 Masculin ou féminin ? J'écris l'adjectif qui convient.

vert	verte	une écharpe
noir	noire	un maillot
blanc	blanche	un short
long	longue	une robe

5 Singulier ou pluriel ? J'écris l'adjectif qui convient.

prudent	prudents	des conducteurs
rapide	rapides	une voiture
poli	polis	un automobiliste
bruyante	bruyantes	une moto
rempli	remplis	des trains

Le futur des verbes **être** et **avoir**

Le futur du verbe être	
je **se**r**ai**	nous **se**r**ons**
tu **se**r**as**	vous **se**r**ez**
il **se**r**a**	ils **se**r**ont**
elle **se**r**a**	elles **se**r**ont**

Le futur du verbe avoir	
j' **au**r**ai**	nous **au**r**ons**
tu **au**r**as**	vous **au**r**ez**
il **au**r**a**	ils **au**r**ont**
elle **au**r**a**	elles **au**r**ont**

1 J'écris le pronom qui convient.

1. Quand _____ serai grand, _____ serai pompier.

2. _____ auras le droit de conduire à dix-huit ans.

3. _____ aurons bientôt une boulangerie au coin de la rue.

4. Quelles belles voix ! _____ serez chanteuses plus tard.

5. _____ aurez la parole quand vous lèverez le doigt.

2 Je complète les phrases avec **être** ou **avoir** au futur.

1. J'*(avoir)* _____ une poupée avec de beaux habits.

2. Pour mon anniversaire, je *(être)* _____ la reine des fées

   et toi tu *(être)* _____ le roi des lutins.

3. La bibliothèque *(avoir)* _____ une nouvelle salle de lecture.

4. Les voitures du futur *(être)* _____ plus économiques.

   Elles *(avoir)* _____ besoin de moins d'essence.

5. Nous fabriquons des nichoirs pour les oiseaux. Cet hiver, ils *(être)* _____ à l'abri

   et ils *(avoir)* _____ chaud.

3 Je récris les phrases : je mets les verbes **être** et **avoir** au futur.

Cette année, la récolte est bonne. Nous avons beaucoup de fruits.

Les abricots ont une belle couleur.

9 Les synonymes

Les **synonymes** sont des mots qui ont le **même sens**
ou presque le même sens.

J'écris les synonymes.

médecin —

tranquille —

1 Je souligne les phrases qui veulent dire la même chose.
J'entoure les mots qui ont presque le même sens.

1. Lucie met un pull.   2. Lucie achète un pull.   3. Lucie enfile un pull.

1. Nous avons entendu un bruit étrange dans la rue.
2. Nous avons entendu un bruit violent dans la rue.
3. Nous avons entendu un bruit bizarre dans la rue.

1. Il faut agiter la bouteille de jus d'orange avant de l'ouvrir.
2. Il faut secouer la bouteille de jus d'orange avant de l'ouvrir.
3. Il faut refroidir la bouteille de jus d'orange avant de l'ouvrir.

2 Dans chaque phrase, j'entoure les deux mots qui ont presque le même sens.

1. Lucie demande à sa grande sœur si elle a vu son sac de sport
   et elle interroge aussi son frère.
2. Marc et Jules jouent ensemble ; ils s'amusent à inventer des scènes
   avec leurs figurines.

Le mot-mystère

Je remplis la grille avec les synonymes.

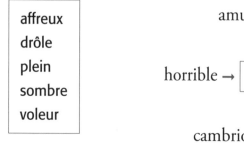

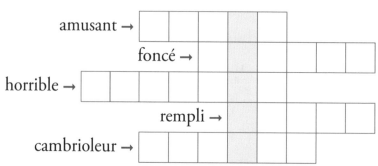

Je lis le mot dans la colonne verte. Je le recopie.

La trompe de l'éléphant

La trompe de l'éléphant,
c'est pour ramasser les pistaches :
pas besoin de se baisser.

Le cou de la girafe,
c'est pour brouter les astres :
pas besoin de voler.

La peau du caméléon,
verte, bleue, mauve, blanche,
selon sa volonté,
c'est pour se cacher des animaux voraces :
pas besoin de fuir.

La carapace de la tortue,
c'est pour dormir à l'intérieur :
même l'hiver
pas besoin de maison.

Le poème du poète,
c'est pour dire tout cela
et mille et mille et mille autres choses :
pas besoin de comprendre.

Alain Bosquet, « La trompe de l'éléphant »,
in *La nouvelle guirlande de Julie*,
© Éditions Ouvrières / Éditions de l'Atelier, 1976

1. Chaque strophe donne une explication : *c'est pour…*
   Je dis ce que je pense de ces explications.

2. *Pas besoin de comprendre*. Pour moi, cela veut dire…

3. Je choisis un animal et je continue le poème.

c'est pour
pas besoin de

9 Je raconte

Que découvre cet explorateur ?

L'exploracœur

1 Qui sont les Plocs ?

2 Les Plocs ne déforment pas toujours les mots de la même façon.
J'explique comment ils font.

    1. un explorateur – un explorabeurre – un explorapeur – un exploracœur

    2. une loupe – une poule – une bouche – une mouche – c'est louche !

    3. une barbichette – une balayette – une bicyclette – une bobinette – quelle brochette !

3 Les Plocs ne veulent pas que Prosper Huc annonce leur découverte.
Pourquoi ? J'explique ce que j'ai compris.

4 J'explique pourquoi Prosper Huc est un exploracœur.

9 J'écris un portrait

1 Je présente l'ogre du conte *Jacques et le haricot magique*.
Je note d'abord mes idées sur mon cahier de brouillon :
– Je lui donne un nom.
– Comment est-il ? Je cherche ce que je dirai de sa taille,
de ses vêtements, de ce qu'il tient à la main.
– Comment est son visage ? Je décris les parties
du visage qui font bien comprendre que c'est un ogre :
sa bouche, ses dents, ses yeux…
– J'explique pourquoi on a peur de lui.

2 Je rédige le portrait de l'ogre. Je lui donne un titre.

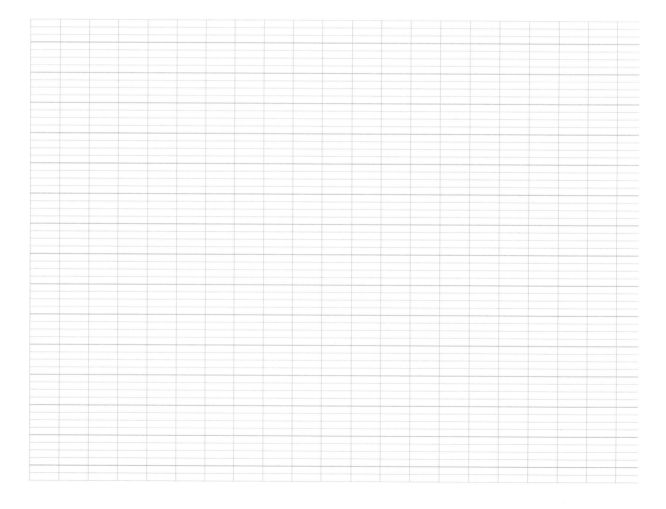

Je lis de mieux en mieux

1 Un mot pirate s'est caché dans certaines phrases. Je l'entoure.

1. Beaucoup d'oiseaux partent chez vers les pays chauds pour passer l'hiver.

2. Les moineaux se nourrissent de graines, d'insectes et de vers de terre.

3. Un petit oiseau entre vole dans la cuisine par la fenêtre ouverte.

4. L'aigle fait son nid avec des branches et des morceaux de bois.

2 Certaines phrases contiennent un mot qui les rend bizarres. J'entoure le mot. J'écris le mot qui convient à la fin de la phrase.

1. Les mouches bourdonnent au-dessus du troupeau de boutons. _____

2. La tempête a renversé plusieurs bateaux dans le port. _____

3. Louis a mangé trop de glace. Il est salade. _____

4. L'aéroport est fermé aujourd'hui : les camions ne peuvent pas décoller à cause du brouillard. _____

3 Quel est le synonyme du verbe en gras ? Je m'aide du sens de la phrase pour le choisir. Je le coche.

1. Dans toutes les classes, une affiche précise les consignes à respecter en cas d'incendie. Quand l'alarme sonne, on doit **évacuer** la classe en silence et sans se bousculer.

      quitter ☐   ranger ☐   éviter ☐

2. L'escargot se nourrit d'herbe et de champignons. Mais **il raffole** surtout des belles feuilles de salade du jardin.

      il déteste ☐   il aime ☐   il frotte ☐

3. Dès le lever du soleil, les oiseaux commencent à **gazouiller**. Ils me réveillent.

      voler ☐   chanter ☐   manger ☐

4. Pour préparer la mise en scène de notre pièce de théâtre, **nous avons réparti** les responsabilités entre tous les élèves. Notre équipe rassemblera les accessoires.

nous avons oublié ☐   nous avons cherché ☐   nous avons distribué ☐

Quand je lis, je fais des images dans ma tête.
Cela peut m'aider à comprendre le sens des mots que je ne connais pas.

10 Pour qui sont ces chaussures-ci ?

Tu entres dans ce magasin de chaussures.
Tu choisis une paire. Tu parles avec le vendeur.
Il te pose des questions. Tu lui réponds.

Ma boite à mots

Je décris un lieu

Je regarde par la fenêtre.
Je décris ce que je vois.

à la mer

à la campagne

un peu au-dessus de la ville

par la fenêtre du train

- devant, juste devant, au premier plan
- derrière, plus loin
- au fond, au loin, très loin
- au milieu, à droite, à gauche

10 Quels sons écrit-on avec la lettre c ?

1 J'entoure les mots quand j'entends /s/.

client – article – lacet – boucle – décider – merci

2 Je complète avec **c** ou **ç**.

1. une balan   oire – un rempla   ant – un   er   eau – un bra   elet

2. un do   teur – une ambulan   e – la pharma   ie – une fra   ture

3. une fa   ade – un bal   on – une piè   e – un ma   on

3 Je complète avec **c** ou **ç**.

1. Dans la   our, les grands font de la bi   y   lette.

    Ils apprennent à respe   ter les règles du   ode de la route.

2. Demain nous ré   iterons la le   on de   onjugaison. Elle n'est pas diffi   ile.

    Je la   onnais déjà par   œur.

3. La   loche sonne. Il est exa   tement   inq heures.

4 Je conjugue les verbes au présent.
J'entoure la lettre qui écrit le son /s/.

commencer	je		nous
lancer	elle		nous
effacer	nous		vous
tracer	tu		nous
avancer	ils		nous

Anagrammes

Sur chaque ligne, deux mots s'écrivent avec les mêmes lettres. Je les entoure :
– de la même couleur si la lettre **c** se prononce de la même façon
– de deux couleurs différentes si la lettre **c** se prononce de deux façons différentes.

| COUPE | POULE | SOUPE | POUCE | LOUP |

| RICHE | CIRER | ÉCRIRE | RIRE | CRIER |

| TRACE | TRICHER | TAIRE | CARTE | ÉCARTER |

| COURSE | SUCRE | CROUTES | SOURCE | CREUSE |

J'écoute et je comprends

1 Je distingue les sons.

J'écoute les mots. Je me demande : est-ce que j'entends

/ʃ/ comme au début de *chat* ?   /ʒ/ comme au début de *girafe* ?

Je coche.

	1	2	3	4	5	6	7	8	9	10	11	12
chat												
girafe												

2 Je lis puis j'écoute.

J'entoure le mot qui a changé.

1. Le cuisinier pèle des pommes pour préparer une tarte.

2. Alice nous a raconté une histoire drôle.

3. Il y a de nombreux tournants sur cette route de montagne.

4. Pendant l'orage, les passants se sont abrités dans l'entrée de l'immeuble.

5. C'est l'heure de la récréation. Vous finirez votre exercice après.

3 J'écoute puis je réponds aux questions.

1. Où est la maman de Maël ?

La maman de Maël est

2. Avec qui parle-t-elle ?

Elle parle avec

3. Maël est :   un garçon ☐   une fille ☐

4. Est-ce que Maël tousse toute la journée ?   oui ☐   non ☐

4 J'écoute, puis je recopie le titre qui convient bien à l'histoire.

1. Panique au zoo.   2. Le zèbre est malade.   3. La ruse du zèbre.

10 Quels sons écrit-on avec la lettre s ?

1 J'entoure les mots quand j'entends /z/.

magasin – blouson – casquette – costume – chemise – espadrille – blouse

2 Je recopie les mots quand j'entends /s/.

fraise – noisette – pamplemousse – pastèque – pistache – raisin

3 Je complète avec **s** ou **ss**.

pou___er – care___er – dan___er – de___iner – e___ayer

e___pérer – pen___er – traver___er – pre___er – re___ter

4 Je complète avec **s** ou **ss**.

1. Léonard a renver___é son a___iette. Elle est tombée et elle est ca___ée.
   Maintenant, il faut rama___er les morceaux.
2. Le lundi ___oir, après la cla___e, nous avons le choix entre plu___ieurs ___ports :
   la dan___e, le ba___ket, l'e___crime, la gymna___tique et l'e___calade.
   Avant d'entrer dans le gymna___e, nous lai___ons nos chau___ures au ve___tiaire.
3. Le voi___in de l'école a coupé des ro___es dans ___on jardin. Il a dépo___é
   un bouquet devant le portail. La maitre___e a dispo___é les fleurs dans
   un grand va___e.

Anagrammes

Sur chaque ligne, deux mots s'écrivent avec les mêmes lettres. Je les entoure :
– de la même couleur si la lettre **s** se prononce de la même façon
– de deux couleurs différentes si la lettre **s** se prononce de deux façons différentes.

| VALISE | VISAGE | VIRAGE | VITRE | SALIVE |

| GRISE | SINGE | SIÈGE | SIGNE | GLOIRE |

| SOUPE | TROUSSE | SOULIER | TOUSSER | SOLEIL |

| PRUDENT | STUPIDE | DISPUTE | TRIPLE | DISPARU |

| MESURER | MUSEAU | MENUISIER | RÉSUMER | SERRURE |

J'écris de mieux en mieux

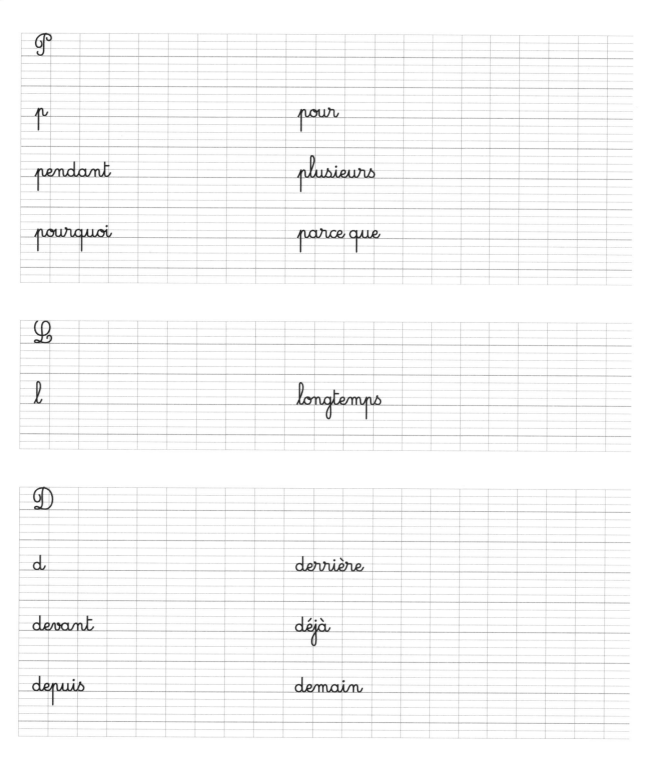

P

p   pour

pendant   plusieurs

pourquoi   parce que

L

l   longtemps

D

d   derrière

devant   déjà

depuis   demain

Je recopie la phrase en lettres cursives.

Paul, Leila et David découpent une ribambelle en papier.

10 L'adjectif qualificatif placé après le verbe **être**

Quand l'adjectif qualificatif est placé après le verbe *être*,
il précise le sujet du verbe.
Il s'accorde avec le sujet du verbe *être*.

J'écris l'accord de l'adjectif qualificatif.

Ma veste est chaud   .   Les abricots sont sucré   .

1 J'écris **M** si l'adjectif est au masculin, **F** s'il est au féminin ;
puis **S** si l'adjectif est au singulier, **P** s'il est au pluriel.

La mer est agitée. (   ) – Les vagues sont déchainées. (   )

Les nuages sont hauts. (   ) – Le temps est beau. (   )

2 Je complète la phrase. Je choisis l'adjectif qui convient.

1. salé – salée – salés – salées   La soupe est _____ .

2. long – longue – longs – longues   En hiver, les nuits sont _____ .

3. fort – forte – forts – fortes   Pierre est _____ en calcul.

4. bon – bonne – bons – bonnes   Les fruits sont _____ pour la santé.

5. clair – claire – clairs – claires   Dans l'école, les classes sont _____ .

3 Je complète la phrase. J'accorde l'adjectif.

ouvert	La boutique est _____ .
dur	Les exercices sont _____ .
certain	Les joueuses sont _____ de gagner.
content	Les joueurs sont _____ de leurs résultats.

4 Je récris la phrase. Je remplace l'adjectif par un adjectif synonyme.

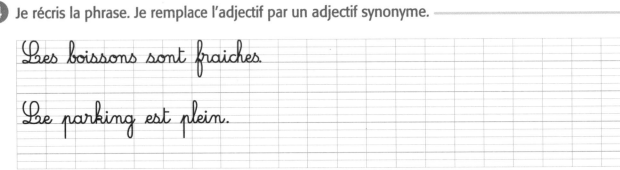

Les boissons sont fraiches.

Le parking est plein.

L'imparfait

Conjuguer à l'imparfait, c'est facile.
Les terminaisons sont les mêmes pour tous les verbes.

je ...ais   tu ...ais   il ...ait   elle ...ait

nous ...ions   vous ...iez   ils ...aient   elles ...aient

Je complète : j'écris les terminaisons de l'imparfait.

je march	tu march	elle march
nous march	vous march	ils march

1 Je souligne la phrase qui est à l'imparfait. J'entoure le verbe.

Le malade se porte mieux. Jeudi, il tremblait de fièvre.

2 Je complète avec un pronom de conjugaison qui convient.

tenais	tenions	tenaient
teniez	tenais	tenait

3 Je conjugue le verbe **parler** à l'imparfait.

je	
tu	
il, elle	
nous	
vous	
ils, elles	

Puzzle

Je colorie le puzzle.
- **en** bleu : l'imparfait
- **en** jaune : le futur
- **en** rouge : le présent.
Je termine le coloriage
comme je veux.

10 Les contraires

Les **contraires** sont des mots qui ont un **sens opposé**.

J'écris les contraires.

mou —

avant —

gentil —

perdre —

1 Je souligne les phrases qui ont un sens opposé.
J'entoure les mots qui ont un sens opposé.

1. José vend un cahier.   2. José achète un cahier.   3. José déchire un cahier.

1. Léa a les cheveux longs.   2. Léa a les cheveux noirs.   3. Léa a les cheveux courts.

1. Nous étudions cette nouvelle règle du jeu de bataille.
2. Nous refusons cette nouvelle règle du jeu de bataille.
3. Nous acceptons cette nouvelle règle du jeu de bataille.

2 Dans chaque phrase, j'entoure les deux mots de sens opposé.

1. François aime les films de science-fiction, par contre il déteste les dessins animés.
2. Sur cette étagère, une planche est bien droite, mais l'autre est penchée.
3. Dans la gare, il y a deux tableaux d'affichage : un pour les heures de départ des trains, un autre pour les heures d'arrivée.

Le mot-mystère

Je remplis la grille avec les contraires.

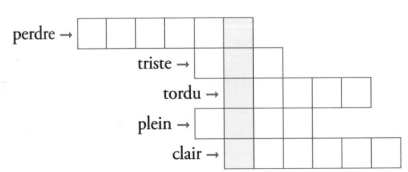

droit
gagner
gai
sombre
vide

perdre →
triste →
tordu →
plein →
clair →

Je lis le mot dans la colonne verte. Je le recopie.

Anagrammes

Par le jeu des anagrammes
Sans une lettre de trop,
Tu découvres le sésame
Des mots qui font d'autres mots.

Me croiras-tu si je m'écrie
Que toute neige a du génie ?

Vas-tu prétendre que je triche
Si je change ton chien en niche ?

Me traiteras-tu de vantard
Si une harpe devient phare ?

Tout est permis en poésie.
Grâce aux mots, l'image est magie.

Pierre Coran, *Anagrammes* in *Jaffabules*,
© Le livre de poche Jeunesse, 2010

1. Dans la première strophe, quels vers expliquent ce qu'est une anagramme ?

2. Le poète imagine ce que le lecteur va penser de lui.
   Je redis avec mes mots ce que le poète craint.

3. *Tout est permis en poésie.* Pour moi, cela veut dire…

4. Je choisis une anagramme dans les jeux, page 50 ou page 52.
   Je continue la poésie.

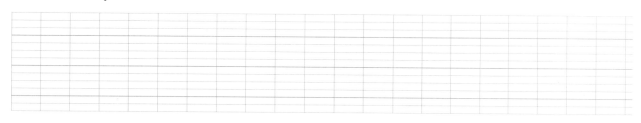

• Avec les lettres de mon prénom, je fabrique mon nom de poète.
  Si le mot n'existe pas, cela n'a pas d'importance.
  Mais je dois pouvoir le prononcer.

10 Je raconte

Que se passe-t-il dans ce magasin ?
Pour chaque scène, fais le portrait des personnages et raconte.

• **Scène 1**

Tu es le client n° 1. Tu racontes.

Tu es le vendeur. Tu racontes.

• **Scène 2**

Tu es le client n° 1. Tu racontes.

Tu es le vendeur. Tu racontes.

Tu es la cliente n° 3. Tu racontes.

• **Scène 3**

Tu es le client n° 1. Tu racontes.

Tu es le vendeur. Tu racontes.

Tu es la cliente n° 4. Tu racontes.

• **Scène 4**

Tu es le client n° 1. Tu racontes.

Tu es le vendeur. Tu racontes.

Tu es le client n° 5. Tu racontes.

• **Scène 5**

Tu es le vendeur. Tu racontes.

Tu es le client n° 1. Tu racontes.

Pour qui sont ces chaussures-ci ?

1 Je relie chaque paire de chaussures à son nom.

chaussures
à boucles
♦

chaussures
à velcro
♦

chaussures
à élastiques
♦

chaussures
à lacets
♦

mocassins
♦

♦　　　　　　♦　　　　　　♦　　　　　　♦　　　　　　♦

2 Je pense à la jeune fille timide. Que se passe-t-il quand on est timide ?

3 Le mot *botte* a deux sens. J'explique ce qu'est :

– une botte

– une botte de radis

4 J'entoure ce que la femme du client n° 5 lui a demandé de rapporter

5 Le vendeur peut-il être content de sa journée ?

• **59**

10 Je décris un lieu

J'arrive dans ce paysage. Je m'y promène. Je le décris.
Mon lecteur, qui ne voit pas la photo, verra le paysage avec mes mots.
• Je note d'abord mes idées sur mon cahier de brouillon :
  ce que je vois, les bruits, les odeurs, ce que je ressens.
• J'écris ma description. Je lui donne un titre.

Je lis de mieux en mieux

1 Certaines phrases contiennent un mot qui les rend bizarres.
Je le barre. J'écris à la fin de la phrase le mot qui convient.

1. L'entraineur a félicité son équipe parce qu'elle a gagné le match. _____

2. Léa est adroite : elle fait toujours tomber ses affaires. _____

3. Le bus est vide. Les passagers sont serrés. Il n'y a plus une place. _____

4. Il est inutile de bien dormir pour être en bonne santé. _____

5. Oh ! Une énorme vague détruit notre château de sable ! _____

2 Quand je lis, je dois toujours savoir de qui ou de quoi le texte parle.
Au-dessous des mots en gras, j'écris de qui ou de quoi il s'agit.

Léonie dispose ses figurines sur le tapis. **La petite fille** aime reconstituer

_____

les scènes des contes. Aujourd'hui, **elle** va perdre le Petit Poucet dans la forêt.

_____

Il est le plus jeune de tous, mais **il** marche en tête devant ses six frères,

_____

au milieu des arbres. **Les sept garçons** avancent lentement.

_____

Ils ont peur de rencontrer un ogre. **Ils** sont maintenant serrés les uns

_____

contre les autres au pied d'un arbre. La nuit tombe. **Elle** est froide et noire.

_____

3 Je lis les trois textes silencieusement.
Je me prépare à lire à haute voix le texte qui correspond au titre.

Une disparition mystérieuse

Les gants de Julie ont disparu. Cette disparition n'est pas étonnante : Julie ne range jamais ses affaires.

Des nuages sombres sont arrivés, poussés par le vent. D'un seul coup, la lune a disparu et la nuit est devenue noire.

La population des abeilles diminue chaque année de façon inquiétante. On ne connait toujours pas les causes de cette disparition.

L'accord de l'adjectif qualificatif

1 Suis le chemin de chaque groupe nominal. Tu rencontreras trois adjectifs. ———
Accorde-les et écris-les dans l'ordre.

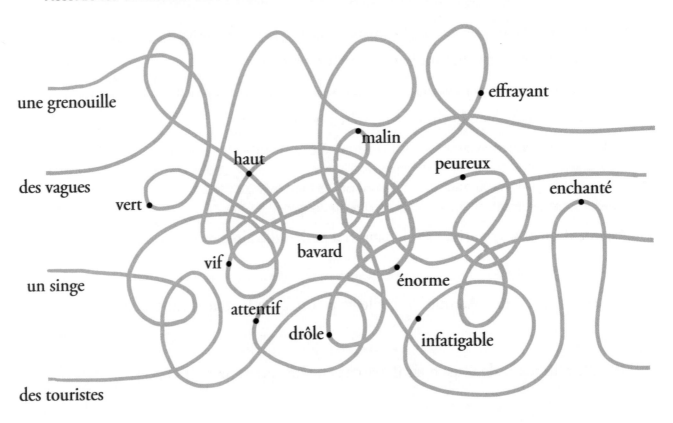

une grenouille · effrayant

des vagues · malin · peureux · enchanté

haut · vert

vif · bavard · énorme

un singe · attentif · drôle · infatigable

des touristes

une grenouille		et	
des vagues		et	
un singe		et	
des touristes		et	

2 Je complète les phrases avec le prénom des enfants. ———

Lise   Luce   Thomas   Elsa   Léo   Noé

_____ est triste.   _____ sont bavards.

_____ est furieux.   _____ sont contentes.

La conjugaison de l'imparfait

* Je conjugue les verbes à l'imparfait
avec le pronom de conjugaison indiqué.
Puis je retrouve le verbe conjugué
dans le jeu de mots mêlés.

C	G	L	I	S	S	I	O	N	S	
R	I	M	A	G	I	N	A	I	S	S
A	H	A	V	A	I	E	N	T	S	S
M	A	R	C	H	I	O	N	S	E	
A	A	D	O	N	N	A	I	S	E	E
S	D	E	M	A	N	D	A	I	T	T
S	P	A	R	L	I	E	Z	R	A	
A	S	A	U	T	A	I	S	S	I	
I	D	E	S	S	I	N	A	I	T	
S	U	S	U	A	L	L	A	I	S	S

imaginer   tu _____

marcher   nous _____

sauter   je _____

être   elle _____

avoir   ils _____

donner   tu _____

parler   vous _____

dessiner   il _____

ramasser   je _____

aller   j' _____

glisser   nous _____

demander   il _____

● Avec les dix lettres qui restent, j'écris un nom : _____

Les synonymes

* Je cherche les mots synonymes.
Je colorie leurs cases de la même couleur. J'ai besoin de 9 crayons.

souliers	calme	bizarre	tranquille	simple	partager
chuchoter	auto	diviser	chaussures	redire	tristesse
facile	répéter	chagrin	murmurer	voiture	étrange

Les mots de sens contraire

* Je cherche les adjectifs qualificatifs de sens contraire.
Je colorie leurs cases de la même couleur. J'ai besoin de 9 crayons.

calme	interdit	faux	froid	gratuit	mouillé
innocent	propre	sec	agité	coupable	peureux
vrai	payant	courageux	sale	chaud	autorisé

11 Les douze géants

- Ces enfants sont frères et sœurs, ou amis. Que font-ils ensemble ? _____
- Et pour toi, comment cela se passe-t-il avec ton frère, ta sœur ou tes amis ?

Ma boite à mots

Je parle des saisons (1)

1 Quel temps fait-il en hiver ?
Je décris les paysages et les personnages.

Les verbes et les expressions	Les mots de la météo	Des adjectifs	Les noms de vêtements
Il fait froid.	la neige	gris	un bonnet
Il fait mauvais.	les flocons	blanc	une écharpe
Il y a du brouillard.	la glace	bleu	un anorak
Il neige.	le givre	sombre	des gants
Il gèle.	le brouillard	glacé	des bottes
J'ai froid.	le vent	gelé	un manteau
Je grelote.	les nuages		des chaussettes
Je frissonne.	la température		

2 Quel temps fait-il au printemps ?
Je décris les paysages et les personnages.

Les expressions	Les mots de la météo	Des adjectifs	Des noms
Il fait doux.	le soleil	doux, frais	les arbres en fleur
Il fait frais.	le vent	ensoleillé	les bourgeons
Il fait beau.	le ciel	parfumé	les fleurs
Les fleurs éclosent.	les nuages	tendre, fragile	les oiseaux
Les bourgeons éclatent.	la température	humide, fleuri	les prés, les champs

11 Quels sons écrit-on avec la lettre **g** ?

1 J'entoure les mots quand j'entends /g / comme au début de *gant*.

agréable – fragile – légère – gai – élégant – gentille – gros – régulier

2 Je complète avec **g** ou **gu**.

1. une ba___e – un lé___ume – un ma___asin – un dé___isement – une ___irlande

2. conju___er – je conju___e – la conju___aison

3. dialo___er – le dialo___e   navi___er – un navi___ateur

3 Je complète avec **g** ou **ge**.

1. un bour___on – un gara___iste – la rou___ole – une ré___ion

2. l'éner___ie – éner___ique   le coura___e – encoura___ant

3. un villa___e – un villa___ois   un nua___e – nua___eux

4 Je complète avec **g, ge** ou **gu**.

1. Avec sa ba___ette ma___ique, le ma___icien fait sortir un pi___on de son chapeau.

2. J'aime le ___out de ce ___âteau. Je me ré___ale.

3. Léa a la rou___ole. Elle a mal à la ___or___e et elle est très fati___ée.

   Ce n'est pas ___rave, mais sa maman la ___arde à la maison, parce que

   cette maladie est conta___ieuse.

Le mot-mystère

Je remplis la grille avec les noms de sports.

golf
gymnastique
luge
pingpong
rugby
voltige
yoga

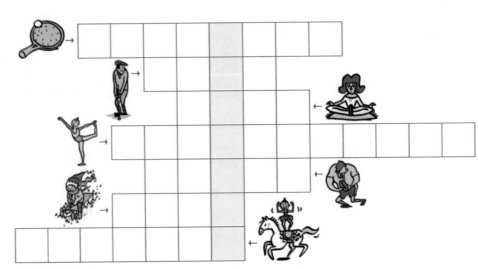

Je lis un nom de sport dans la colonne verte. Je le recopie.

J'écoute et je comprends

1 Je distingue les sons.

J'écoute les mots. Je me demande : est-ce que j'entends

/f/ comme au début de *fenêtre* ?   /v/ comme au début de *volet* ?

Je coche.

	1	2	3	4	5	6	7	8	9	10	11	12
fenêtre												
volet												

2 Je lis puis j'écoute. J'entoure le mot qui a disparu.

1. L'hiver commence le 21 décembre, le jour le plus court de toute l'année. Il finit le 20 mars.

2. Au début de l'hiver, la nuit tombe très tôt et le jour se lève tard.

3. Le vent froid souffle et parfois il neige.

4. Le matin, il y a souvent du brouillard, de la gelée ou du givre.

5. Tous les arbres ont perdu leurs feuilles.

6. Seuls les sapins et les pins conservent leurs belles épines vertes.

3 J'écoute le portrait de Tom, Léo, Lilou et Anna.
Puis je réfléchis et je réponds aux questions.

1. Qui a tapé un copain pendant la récréation ? _____

2. Qui a cassé un verre et a accusé sa sœur ? _____

3. Qui ne fait jamais son lit ? _____

4. Qui passe toujours devant tout le monde ? _____

5. Qui s'est mis en colère parce qu'il a perdu aux cartes ? _____

6. Qui refuse toujours de mettre la table ? _____

7. Qui ne retrouve jamais ses affaires ? _____

8. Qui a dit : « J'ai passé mes vacances sur la Lune » ? _____

4 J'écoute, puis je souligne le titre qui correspond bien à l'histoire.

La vie des fourmis   Pourquoi on n'entend pas le chant des fourmis

La fourmi désobéissante   La reine des fourmis n'aime pas la musique

11 J'étudie la lettre **h**

1 Je classe les noms d'animaux.

la vache – le hibou – le phoque – la chèvre – le chameau

le dauphin – l'éléphant – l'autruche – le hérisson – le mammouth

l'hirondelle – la panthère – le rhinocéros – l'hippopotame

Je vois **h** au début du mot. C'est une lettre muette.

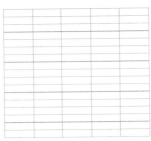
Je vois **h** dans le mot. C'est une lettre muette.

Je vois **ch**. J'entends /ʃ/ comme au début de *chapeau*.

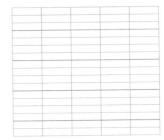
Je vois **ph**. J'entends /f/ comme au début de *photo*.

2 Je classe les mots de l'école.

le cahier – l'affiche – la phrase – l'histoire – la bibliothèque

l'heure – la géographie – les mathématiques – la flèche – la parenthèse

l'horaire – le chant – le paragraphe – la strophe

Je vois **h** au début du mot. C'est une lettre muette.

Je vois **h** dans le mot. C'est une lettre muette.

Je vois **ch**. J'entends /ʃ/ comme au début de *chapeau*.

Je vois **ph**. J'entends /f/ comme au début de *photo*.

Le mot codé

Je remplace chaque lettre par celle qui vient juste avant dans l'ordre alphabétique.
J'écris le nom de cet outil sous le dessin.

I B D I F

une _____

J'écris de mieux en mieux

H

ha   *un habit*

he   *l'heure*

ch   *chercher*

ph   *la phrase*

F

fa   *la famille*

fe   *le feu*

fr   *une fraise*

fl   *une flèche*

V

vi   *une violette*

vo   *voici*

11 Où ? Quand ? Comment ? Pourquoi ?

Quand je parle, quand j'écris, j'apporte des précisions dans mes phrases.
J'explique **où**, **quand**, **comment**, **pourquoi**.
Mon interlocuteur ou mon lecteur comprend mieux ce que je veux dire.

Je souligne la partie de la phrase qui répond aux questions.

Où ?	Tom et Isée habitent à la campagne.
Quand ?	Le départ de l'avion est prévu à 8 heures.
Comment ?	Beaucoup d'élèves vont à l'école en bus.
Pourquoi ?	Les volets claquent à cause du vent.

1 Je souligne de la bonne couleur les parties de la phrase qui répondent aux questions. Puis je supprime ces parties et j'écris la phrase qui reste.

Où ? Comment ?

L'explorateur avance à petits pas dans le tunnel sombre et étroit.

Quand ? Pourquoi ?

À cause du vent et des fortes vagues, la baignade sera interdite toute la journée.

Quand ? Où ? Pourquoi ?

Pendant l'hiver, les ours restent dans leur tanière pour se protéger du froid.

2 J'indique la question. Puis je réponds à la même question avec un autre groupe de mots.

1. Le chat est assis sur le toit.   *Sur le toit* répond à la question _____ .

Le chat est assis

2. La bibliothèque sera fermée la semaine prochaine.
La semaine prochaine répond à la question _____ .

La bibliothèque sera fermée

L'imparfait des verbes **être** et **avoir**

L'imparfait du verbe être	
j'étais	nous étions
tu étais	vous étiez
il était	ils étaient
elle était	elles étaient

L'imparfait du verbe avoir	
j'avais	nous avions
tu avais	vous aviez
il avait	ils avaient
elle avait	elles avaient

1 J'entoure le verbe être en vert, le verbe avoir en bleu.

1. Nicolas avait une excuse pour expliquer son retard.

   La voiture de son père était en panne.

2. Mardi dernier, j'étais malade. J'avais de la fièvre.

3. Perdus dans la forêt, Poucet et ses frères étaient inquiets.

   Ils avaient peur de rencontrer un loup ou un ogre.

4. Le matin du spectacle, nous avions tous un peu le trac.

   Et nous étions très émus avant de monter sur la scène.

2 J'écris un pronom de conjugaison qui convient.

1. _____ étais sure d'arriver la première.

2. À la fin de la journée, _____ étiez fatigués.

   _____ aviez envie de dormir.

3. _____ avait l'habitude de se lever tôt.

   _____ était toujours debout avant tous les autres.

3 Je complète les phrases avec **être** ou **avoir** à l'imparfait.

1. Nous *(avoir)* _____ une semaine pour préparer ce travail.

2. Chloé *(avoir)* _____ le sourire.

   Elle *(être)* _____ contente de retrouver ses amis.

3. Tu *(avoir)* _____ raison.

   Les livres *(être)* _____ rangés à leur place sur l'étagère.

4 Je complète les phrases avec **être** ou **avoir** à l'imparfait.

1. Anastasia _____ un laideron. Mariya _____ aimable et généreuse.

2. Mariya _____ la tâche dure, mais Anastasia _____ jalouse d'elle.

11 Lire un article de dictionnaire (2)

> Dans un article de dictionnaire, on trouve toujours :
> le mot défini, sa nature (nom, verbe, adjectif…), sa définition, un exemple.
> On peut aussi trouver d'autres informations : son synonyme, son contraire…

1 Dans ces articles :
– j'encadre le mot défini
– je souligne la définition en bleu
– je souligne l'exemple en noir.

illuminer verbe
Illuminer, c'est éclairer d'une lumière très brillante. *Les éclairs illuminent le ciel.*

① **géant** nom masculin,
géante nom féminin
Un géant, une géante, c'est une personne beaucoup plus grande que les autres. *Il était une fois un géant qui avait enjambé la montagne pour venir délivrer la princesse.*
■ Le contraire de géant, c'est **nain**.

Le Robert Benjamin, 2014

2 J'associe chaque définition à son illustration.
Je souligne la partie de la phrase qui justifie ma réponse.

fougère nom féminin
Une fougère, c'est une plante verte à longues feuilles très découpées, qui pousse dans les bois. *Les fougères n'ont jamais de fleurs.*

✦　　　　✦

bruyère nom féminin
La bruyère, c'est une plante sauvage à petites fleurs roses ou mauves. *La lande est couverte de bruyère.*

✦　　　　✦

Le Robert Benjamin, 2014

3 Il y a une définition pour chaque mot en gras.
J'écris le mot et sa nature devant sa définition.

1. Il était une fois, à l'**orée** de la forêt, une maisonnette au toit de chaume.
2. Le froid était vif, un vent glacé soufflait en **bourrasque**.
3. Des larmes amères **sillonnent** ses joues.

_____, c'est laisser des longues traces, comme des sillons dans les champs.

_____, c'est un coup de vent très violent et inattendu.

_____, c'est le bord, le commencement, de quelque chose.

Une histoire à suivre

Après tout ce blanc vient le vert,
Le printemps vient après l'hiver.

Après le grand froid le soleil,
Après la neige vient le nid,
Après le noir vient le réveil,
L'histoire n'est jamais finie.

Après tout ce blanc vient le vert,
Le printemps vient après l'hiver,
Et après la pluie le beau temps.

Claude Roy, *Farandoles et fariboles*

1. Explique le premier vers. Qu'est-ce que *ce blanc* ?
   Qu'est-ce que *le vert* ?

2. *Après la neige vient le nid.*
   Que se passe-t-il en hiver pour les oiseaux ? Et au printemps ?

3. *Après le noir vient le réveil.*
   – Explique ce que tu comprends : pourquoi l'hiver est-il à la fois blanc et noir ?
   – À quels moments de la vie ce vers peut-il te faire aussi penser ?

4. *Après la pluie, le beau temps* est un proverbe.
   Il parle du temps qu'il fait, mais aussi de la vie.
   Explique ce que tu comprends.

5. *L'histoire n'est jamais finie.*
   J'écris un ou deux vers pour la continuer à ma manière.

Qu'arrive-t-il à Mariya dans cette nouvelle histoire ?

Les douze géants

Je présente les personnages du conte.

Nom : _____

Caractère : _____

_____

Que fait-elle dans l'histoire ? _____

_____

_____

Nom : _____

Caractère : _____

_____

Que fait-elle dans l'histoire ? _____

_____

_____

Nom : _____

Caractère : _____

_____

Que fait-elle dans l'histoire ? _____

_____

_____

11 J'écris une lettre

Tu as reçu la lettre d'un correspondant ou d'une correspondante,
comme celle que tu as lue dans ton livre page 131.
Tu lui réponds :
– tu parles de toi, tu réponds à ses questions
– tu poses des questions à ton tour pour mieux faire connaissance.

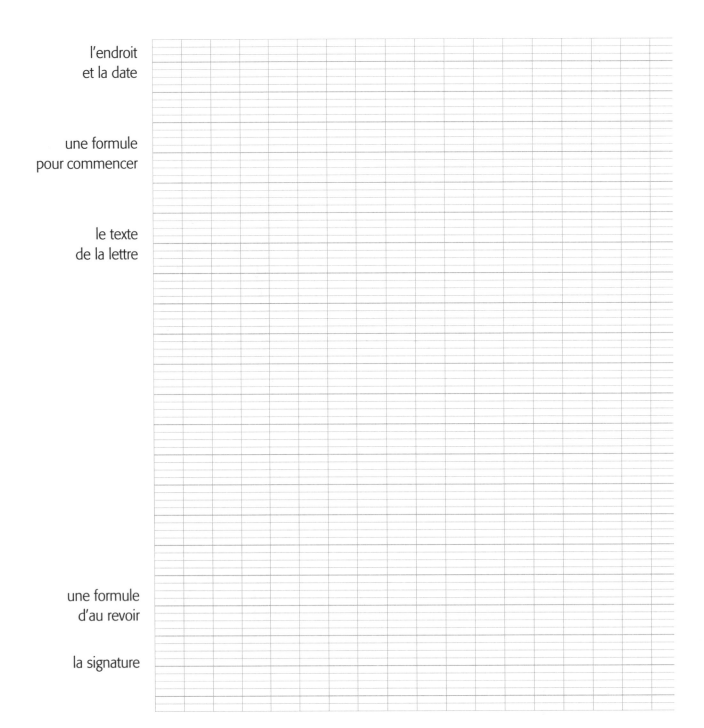

l'endroit
et la date

une formule
pour commencer

le texte
de la lettre

une formule
d'au revoir

la signature

Je lis de mieux en mieux

1 Je lis à haute voix.
Je marque les pauses indiquées par les traits.
Puis j'entoure le numéro de la lecture qui permet de bien comprendre.

1. Mariya se souvient d'une / clairière pleine /de fraises des bois, l'été, / du côté des / trois saules.

2. Mariya se souvient / d'une clairière pleine de fraises / des bois, / l'été, du côté / des trois saules.

3. Mariya se souvient d'une clairière / pleine de fraises des bois, / l'été, / du côté des trois saules.

1. Elle chemine / encore, lorsqu'elle voit / de nouveau une lueur sur / la montagne.

2. Elle chemine encore, / lorsqu'elle voit / de nouveau / une lueur sur la montagne.

3. Elle chemine encore, / lorsqu'elle voit de / nouveau une lueur / sur la montagne.

2 Je lis silencieusement :

Au pied des buissons, sous les arbres, des violettes éclosent.

1. À quelle question répondent les groupes de mots en couleur ?

2. À quoi servent les virgules ?

3. Je lis maintenant à haute voix : je fais une pause à chaque virgule.

3 Je cherche les groupes de mots qui répondent à la question **quand ?**
Je les souligne. Je les sépare avec des virgules. Puis je lis à haute voix.

1. Aujourd'hui pendant la récréation Lou a perdu une dent.

2. Un matin d'été au lever du soleil Tim et Tom partent pour une longue promenade dans la campagne.

4 Je cherche les groupes de mots qui répondent à la question **où ?**
Je les souligne. Je les sépare avec des virgules. Puis je lis à haute voix.

1. Derrière la fenêtre Anastasia et sa mère regardent partir Mariya.

2. Au pied de la montagne autour d'un grand brasier les douze géants discutent calmement.

Pour bien comprendre ce que je lis,
je regroupe les mots qui vont ensemble, comme quand je parle.

12 Les douze différences

Je compare ces deux dessins. Je cherche les 12 différences.

Je peux toujours dire les différences de plusieurs façons.
« Il dort. Il ne dort pas ». Ou bien : « Il a les yeux ouverts. Il a les yeux fermés. »

Je parle des saisons (2)

1 Quel temps fait-il en été ?
Je décris les paysages et les personnages.

Les verbes et les expressions	Les mots de la météo	Des adjectifs	Des noms
Il fait chaud.	l'orage	chaud	une casquette
On étouffe.	un temps orageux	brulant	un short
L'air est lourd.	l'arc-en-ciel	mûr	un maillot
L'eau est bonne.	le ciel bleu	bleu	un teeshirt
Je marche pieds nus.	la chaleur	doré	des lunettes de soleil
Je transpire.		ensoleillé	le blé
			une fraise des bois

2 Quel temps fait-il en automne ?
Je décris les paysages et les personnages.

Les verbes et les expressions	Les mots de la météo	Des adjectifs	Des noms
Les feuilles jaunissent.	la pluie	pluvieux	un parapluie
Les feuilles tombent.	la douceur	nuageux	un imperméable
Il fait frais.	la fraicheur	frais	un ciré, des bottes
Je cueille.		humide	les feuilles mortes
Je ramasse.		mouillé	les pommes
			les champignons

12 Quels sons écrit-on avec la lettre i ? (1)

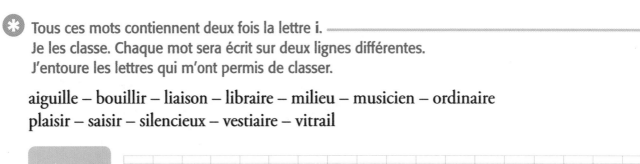

❋ Tous ces mots contiennent deux fois la lettre **i**.
Je les classe. Chaque mot sera écrit sur deux lignes différentes.
J'entoure les lettres qui m'ont permis de classer.

aiguille – bouillir – liaison – libraire – milieu – musicien – ordinaire
plaisir – saisir – silencieux – vestiaire – vitrail

La lettre **i** écrit le son /i/.			

La lettre **i** sert à écrire le son /j/.			

La lettre **i** sert à écrire le son /ɛ/.			

La ronde des mots

Chaque case à compléter est placée entre deux définitions.
J'écris dans la case le mot qui correspond aux deux définitions.

C'est un animal.

La lettre **i** sert à écrire le son /j/

Le mot contient trois fois la lettre **i**.

chaise
épicier
fauteuil
grenouille
librairie
ouistiti
pâtisserie
secrétaire

C'est un siège.

C'est un magasin.

La lettre **i** sert à écrire le son /ɛ/

Le mot contient deux fois la lettre **i**.

C'est un métier.

J'écoute et je comprends

1 Je distingue les sons.
J'écoute les mots. Je me demande : est-ce que j'entends
/ɛ/ comme dans *clair* ?   /ɛ̃/ comme dans *pinceau* ?   /ɑ̃/ comme dans *vent* ?
Je coche.

	1	2	3	4	5	6	7	8	9	10	11	12
éclair												
pinceau												
vent												

2 J'écoute les phrases deux par deux.
Je me demande : ont-elles le même sens ? Ont-elles un sens contraire ?
Je coche.

	1	2	3	4	5
Les phrases ont le même sens.					
Les phrases ont un sens contraire.					

3 J'écoute. Puis j'entoure le mot qui a changé.
Si la phrase que je lis et la phrase que j'écoute ont le même sens, je coche.

1. Il ne faut pas parler au chauffeur du bus pendant qu'il conduit. ☐

2. Quand il sera grand, Maxime aimerait être cuisinier. ☐

3. Émilie s'exerce à tracer des traits droits sans règle. ☐

4. Le maitre dit à Tim et Louise : « Mes félicitations ! Votre exposé est très réussi. » ☐

5. Emma a l'habitude de boire un verre de lait au gouter. ☐

4 Je comprends de quelle saison on parle. J'écoute puis je coche.

	1	2	3	4	5	6	7	8	9
printemps									
été									
automne									
hiver									

5 J'écoute, puis j'entoure le titre qui correspond bien à l'histoire.

1. La barrette volée   2. Anna et Chloé

3. Une accusation injuste   4. Un vol à l'école

12 Quels sons écrit-on avec la lettre i ? (2)

✳ Tous ces mots contiennent plusieurs fois la lettre **i**. ─────────
   Je les classe. J'entoure les lettres qui m'ont permis de classer.

infirmière – impair – simplifier – quinzaine – obligatoire – patinoire
droitier – inquiet – pointillé – lointain – moitié – raisin – miroir – infinitif

La lettre **i** écrit le son /i/.			

La lettre **i** sert à écrire le son /j/.			

La lettre **i** sert à écrire le son /ɛ/.			

La lettre **i** sert à écrire le son /ɛ̃/.			

La lettre **i** sert à écrire le son /wa/.			

La lettre **i** sert à écrire le son /wɛ̃/.			

Le mot caché

Le mot commence et se termine par la même lettre.
La deuxième lettre est entre **P** et **R**.
Le mot se termine comme *fleuriste*.
Il contient encore un **B**, un **L**, un **R** et un **U**.

___ ___ I ___ I ___ ___ I ___

J'écris de mieux en mieux

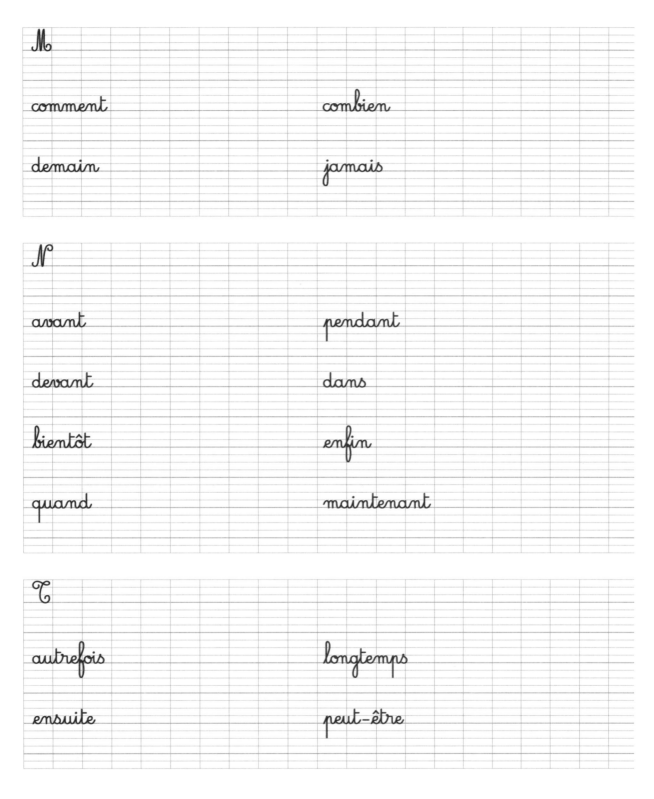

M

comment   combien

demain   jamais

N

avant   pendant

devant   dans

bientôt   enfin

quand   maintenant

T

autrefois   longtemps

ensuite   peut-être

Je recopie la phrase.

Mathis et Théo partent en voyage à Nantes.

12 L'adverbe

Pour préciser le sens du verbe, je peux utiliser un **adverbe**.

Je précise le verbe avec un adverbe.

Je viendrai   ce soir.

1 Je relie chaque phrase à son illustration.
J'entoure le mot qui m'a permis de décider.

Le vent souffle légèrement.   Le vent souffle fort.   Le vent souffle violemment.

◆   ◆   ◆

◆   ◆   ◆

2 Je choisis un adverbe pour préciser le verbe.

facilement   trop   bientôt

1. Il nous reste quelques kilomètres à faire. Nous arriverons _____ .

2. Quand vous serez dans la rue, vous trouverez _____ la maison.

3. Que vous êtes bavards ! Vous parlez _____ .

3 Je récris la phrase avec un adverbe de sens contraire.

J'ai bien dormi.
La voiture roule vite.
Simon parle fort.
Ce soir, je rentrerai tôt.

4 Dans la famille de mots d'un adverbe, il y a souvent un adjectif.
Pour chaque adverbe, j'écris l'adjectif qui appartient à sa famille.

facilement		*heureusement*	
clairement		*calmement*	
poliment		*parfaitement*	

Le passé composé

- **Le passé composé** est un temps du passé.
- C'est une conjugaison **composée** de deux parties :
  - d'abord **être** ou **avoir**, conjugué au présent
  - puis **le participe passé** du verbe conjugué.

marcher		être		avoir	
j'ai marché	nous avons marché	j'ai été	nous avons été	j'ai eu	nous avons eu
tu as marché	vous avez marché	tu as été	vous avez été	tu as eu	vous avez eu
il a marché	ils ont marché	il a été	ils ont été	il a eu	ils ont eu
elle a marché	elles ont marché	elle a été	elles ont été	elle a eu	elles ont eu

1 J'écris l'infinitif du verbe conjugué.

j'ai admiré : _____   tu as comparé : _____

2 Je conjugue le verbe au passé composé.

1. garder : nous _____   2. avoir : j' _____

3. être : il _____   4. travailler : tu _____

5. copier : vous _____   6. coller : elles _____

3 Je conjugue le verbe au passé composé.

Avec mon père, nous (*trouver*) _____ un vieux coffret

chez un brocanteur. Mon père (*discuter*) _____ le prix

et il (*payer*) _____ le marchand.

À la maison, une petite vis (*attirer*) _____ notre attention.

Nous (*démonter*) _____ le fond du coffret :

une vieille pièce nous attendait !

4 Je conjugue le verbe en vert au passé composé. Puis je le barre.

Bien caché, Renard observe _____ longuement les poules.

Elles picorent _____ des graines toute la matinée.

Mais quand il saute _____ pour les attraper,

elles ont _____ le temps de rentrer dans leur abri.

12 Un mot peut avoir plusieurs sens

> Quand un mot a plusieurs sens,
> c'est le reste de la phrase qui m'aide à comprendre son sens.
> Je le vérifie dans un dictionnaire.

1 Après chaque phrase, j'indique le numéro de la définition qui correspond au sens du mot en gras.

retenir verbe

1. Retenir, c'est rattraper pour empêcher de tomber. *Camille a retenu Pierre qui avait glissé.*
2. Retenir quelque chose, c'est s'en souvenir, le garder dans sa mémoire. *Paul retient les numéros de téléphone de tous ses amis.*

sortie nom féminin

1. La sortie, c'est l'endroit par où l'on sort de quelque part. *La sortie est au fond du couloir. Où est la sortie de secours du cinéma ?* ■ Tu peux dire aussi issue. ■ Le contraire de sortie, c'est entrée.
2. La sortie, c'est le moment où l'on sort. *La sortie de l'école est à 4 heures et demie.*

Le Robert Benjamin, 2014

A. Jules a du mal à **retenir** ses leçons. ☐

B. Maéva a réussi à **retenir** son petit frère qui allait tomber de vélo. ☐

A. Dans un labyrinthe, c'est difficile de trouver la **sortie** ! ☐

B. Il y a eu une bousculade dans la salle de cinéma au moment de la **sortie**. ☐

2 J'écris une phrase exemple pour chaque sens du mot.

passage nom masculin

1. Un passage, c'est un endroit étroit par où l'on peut passer.

2. Un passage, c'est un extrait, une petite partie d'un livre, d'une chanson, d'une musique, d'un film.

Le mot caché

Je trouve et j'écris le mot caché. C'est le même mot dans les trois phrases.

• J'ai été malade, j'avais mal à la _____.

• Mon ami court vite, il est en _____ de la course.

• En classe, nous apprenons à calculer de _____.

L'école est fermée

L'école est fermée ;
Le tableau s'ennuie ;
Et les araignées
Dit-on, étudient
La géométrie
Pour améliorer
L'étoile des toiles :
Toiles d'araignées,
Bien évidemment.

L'école est fermée
Les souris s'instruisent,
Les papillons lisent,
Les pupitres luisent,
Ainsi que les bancs.

L'école est fermée,
Mais si l'on écoute
Au fond du silence,
Les enfants sont là
Qui parlent tout bas
Et dans la lumière,
Des grains de poussière,
Ils revivent toute
L'année qui passa,
Et qui s'en alla…

Georges JEAN, « L'école est fermée »
in *Écrit sur la page*
© Éditions Gallimard Jeunesse,
www.gallimard-jeunesse.fr

Je continue ce poème.
J'imagine ce que les enfants revivent.
J'écris au passé composé.

> Et cette année-là,
> ils ont

12 Je raconte

Je lance le dé pour découvrir le héros de mon histoire,
la saison, l'endroit où elle se passe et le personnage que mon héros rencontre.
Puis j'invente et je raconte.

le héros

la saison

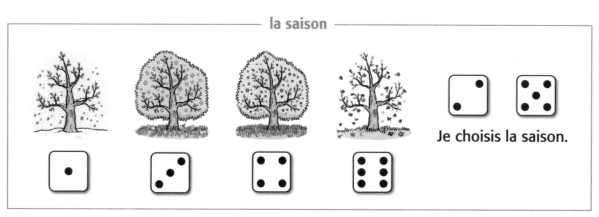

Je choisis la saison.

le lieu

la rencontre

Les douze géants

Cette histoire t'a peut-être fait penser à ta vie, à une autre histoire que tu as lue, à un film que tu as vu, ou à autre chose…

1 En lisant cette histoire, j'ai pensé…

2 Je choisis un moment de l'histoire que j'ai aimé.

J'ai aimé

J'ai aimé ce moment parce que

Je lui donne un titre :

3 Je choisis un mot que j'ai aimé :
un mot nouveau, un mot étrange, un mot important, un mot drôle,
un mot difficile…

J'ai aimé le mot
J'ai choisi ce mot parce que

12 Je compose une affiche

Je choisis un de ces trois évènements.
Je souligne les informations que je retiendrai pour l'affiche.
Je compose l'affiche : le texte et l'illustration.

Le château de Carat ouvrira ses portes
aux visiteurs pour la Journée des jardins,
le dimanche 21 juillet de 9 h à 21 h.
La visite des jardins, suivie d'un repas en plein air,
permettra de découvrir des légumes, des fruits
et des plats oubliés.
Prix : adultes 12 euros, enfants 4 euros.
Inscriptions par téléphone au 33 22 11 00 44.

Le 22 juin prochain
aura lieu la grande
promenade annuelle
des habitants et des
amis de Collinette.
Cette année, trois
circuits sont prévus :
4 kilomètres pour les
petits marcheurs,
7 kilomètres pour
les courageux,
12 kilomètres pour
les grands sportifs.
Rendez-vous
à 8 heures devant
la mairie de Collinette.

Les élèves de CM de
l'école Les Colibris
vous invitent
à assister à leur
spectacle musical
**Alice au pays
des merveilles**,
le samedi 29 juin
à 10 heures,
dans la cour de
l'école. Suivez le
lapin blanc et venez
nombreux.

Je lis de mieux en mieux

1 Je lis d'abord silencieusement. Je comprends.
La partie de la phrase en couleur est la définition d'un mot. J'écris ce mot.
Puis je lis à haute voix : je remplace la définition par le mot que j'ai trouvé.

1. Le chat passe une grande partie de son temps à poursuivre les animaux pour les attraper ou les tuer _____ .

2. Cette année, les vacances de printemps commencent le quatrième jour de la semaine _____ .

3. Dans notre classe, chaque jour, deux élèves sont chargés de prendre et rassembler _____ les cahiers.

4. Anna a fait un très beau saut la tête la première et les bras en avant _____ dans la piscine.

2 Je dis la phrase suivante de cinq façons différentes.

La petite porte au fond du jardin est restée ouverte.

1. un papa pas content
2. deux enfants qui veulent sortir en cachette
3. un détective qui mène une enquête
4. un voisin qui vient avertir
5. une maman qui arrive les bras chargés de provisions

3 Je lis le texte avec un camarade ou une camarade.
Au signal 💬, nous nous passons la parole.

Simon n'aime pas quand sa maman l'appelle « ma puce »,

💬 ou « ma petite grenouille », 💬 ou encore « mon trésor ».

– 💬 Est-ce que je ressemble à une puce ? 💬 demande Simon.

– 💬 Oui, 💬 répond sa maman, 💬 quand tu sautes sur ton lit,

💬 quand tu te caches dans les coins, 💬 quand tu énerves ta sœur.

– 💬 Est-ce que je ressemble à une grenouille ? demande Simon.

– 💬 Oui, répond son papa, 💬 quand tu ne veux pas sortir de ton bain,

💬 quand tu nages dans la piscine, 💬 quand tu joues avec l'eau.

– 💬 Est-ce que je ressemble à un trésor ? 💬 demande Simon.

– 💬 Oui, 💬 répond sa grand-mère. Tes petites dents sont comme des perles.

💬 Tes yeux brillent comme des étoiles.

– 💬 Et toi, grand-père ? demande Simon.

– 💬 Moi, répond son grand-père, 💬 quand j'étais petit, j'étais comme toi.

💬 Je n'aimais pas beaucoup ces petits mots doux. 💬 Ils me faisaient rougir.

💬 C'est pour cela que je t'appelle toujours 💬 « mon grand ».

L'adverbe

* Pour jouer au jeu de l'oie des adverbes :

1. Lance les deux dés pour tirer au sort un adverbe.

- ② toujours
- ③ bizarrement
- ④ brusquement
- ⑤ courageusement
- ⑥ facilement
- ⑦ fièrement
- ⑧ parfaitement
- ⑨ poliment
- ⑩ sagement
- ⑪ silencieusement
- ⑫ souvent

2. Lance un seul dé et avance sur la piste.
   Ajoute l'adverbe dans la phrase sur laquelle tu arrives. Lis-la à haute voix.

DÉPART	1	2	3	4	5
	Le taxi amène ses clients à l'aéroport.	Les élèves sortent de la classe.	Le chien et le chat gardent la maison.	Le médecin examine le malade.	La bille roule sur le sol.

10	9	8	7	6
La chaise gémit sous le poids du géant.	Les abeilles butinent les violettes.	Lucie parle avec Manon.	Trois requins suivent le cargo.	Léo donne la balle à un adversaire.

11	12	13	14	15	ARRIVÉE
Ma console de jeux tombe en panne.	Le pain sort du four.	Les enfants descendent les escaliers.	Le lapin fuit le renard.	Les pompiers installent la grande échelle.	

Où ? Quand ? Comment ?

* Je colorie de trois couleurs différentes :
une partie du dessin qui montre *où*,
une partie qui montre *quand*,
une partie qui montre *comment*.

Puis j'écris une phrase.

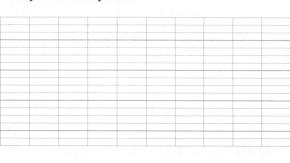

La conjugaison du passé composé

* Le verbe est conjugué au passé composé. J'écris son infinitif. —————— Puis je retrouve l'infinitif dans le jeu de mots mêlés.

R	I	R	E	J	E	T	E	R	R
R	E	M	P	L	I	R	P	A	E
D	O	N	N	E	R	I	A	P	T
T	P	E	T	R	E	N	R	P	O
C	H	E	R	C	H	E	R	O	U
R	E	F	L	E	C	H	I	R	R
E	N	V	O	Y	E	R	V	T	N
P	O	U	S	S	E	R	E	E	E
R	E	U	S	S	I	R	R	R	R
E	M	R	S	B	R	U	L	E	R

elle a cherché _____

j'ai envoyé _____

vous êtes arrivés _____

tu as donné _____

nous avons été _____

il a jeté _____

elles ont poussé _____

elle a rempli _____

elle est retournée _____

nous avons ri _____

j'ai rapporté _____

vous avez réfléchi _____

tu as réussi _____

il a brulé _____

● Avec les lettres qui restent, j'écris le nom d'une saison : _____

Un mot, plusieurs sens

* Pour chaque mot, on te donne deux sens. ——————

1. Je me regarde dedans.
   Je la mange dans un cornet.
2. J'en ai quatre sur ma veste
   et un pour allumer la télévision.
3. Je le mets au pied pour avoir chaud.
   Je le mets dans ma bouche et c'est bon.
4. C'est un médicament.
   C'est une boisson sucrée que l'on mélange avec de l'eau.
5. Je la respecte quand je joue avec les autres.
   Je l'utilise pour tirer un trait.

● Le mot mystère dans la colonne verte :

On y met la salade de fruits.

Je la reçois quand je gagne une compétition.

_____

Je teste ma compétence
Quand partir en piquenique ?

La semaine prochaine, la classe partira une journée en piquenique.
Vous discutez pour décider quel jour vous irez piqueniquer.
Voici votre documentation.

EMPLOI DU TEMPS DE L'ÉCOLE

lundi	mardi	mercredi	jeudi	vendredi
classe	classe	classe	classe	classe
classe	classe		classe	classe

PRÉVISIONS MÉTÉO POUR LA SEMAINE

lundi 8 juin	mardi 9 juin	mercredi 10 juin	jeudi 11 juin	vendredi 12 juin
matin	matin	matin	matin	matin
après-midi	après-midi	après-midi	après-midi	après-midi

Températures prévues

	matin	après-midi
lundi 8	18 degrés	21 degrés
mardi 9	20 degrés	18 degrés

Mercredi 10 La température sera proche de 27 degrés toute la journée.

Jeudi 11 La journée sera belle : 25 degrés le matin, 28 degrés l'après midi.

Vendredi 12 Le temps devient plus frais : 20 degrés toute la journée.

VÊTEMENTS À PRÉVOIR

– Si la température dépasse 24 degrés, mettez un teeshirt.
– Si la météo prévoit entre 19 et 24 degrés, prenez un pull léger.
– Si la météo prévoit moins de 19 degrés, emportez un gros pull.

Les élèves de la classe ont commencé à discuter.

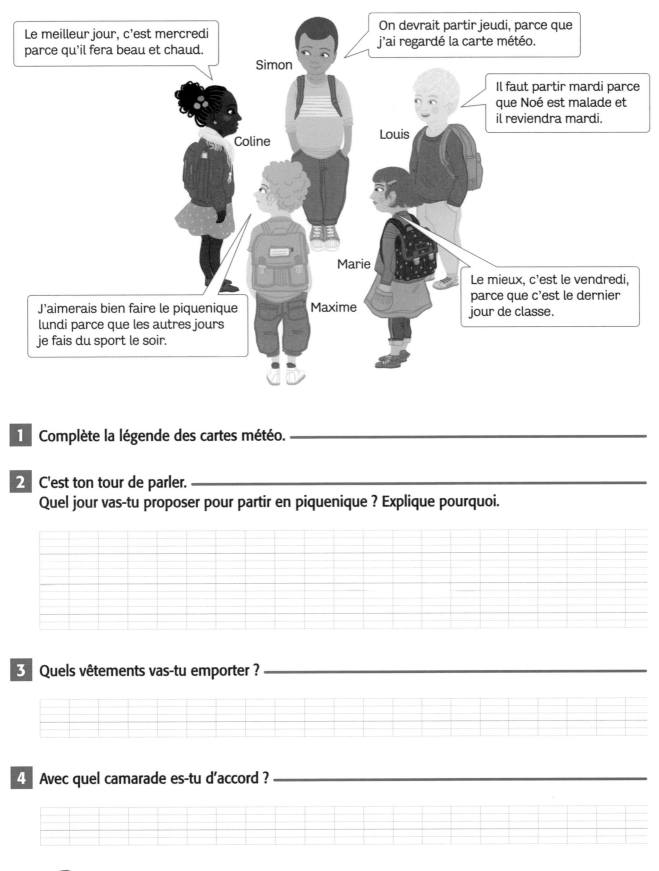

Le meilleur jour, c'est mercredi parce qu'il fera beau et chaud.

On devrait partir jeudi, parce que j'ai regardé la carte météo.

Simon

Il faut partir mardi parce que Noé est malade et il reviendra mardi.

Louis

Coline

J'aimerais bien faire le piquenique lundi parce que les autres jours je fais du sport le soir.

Marie

Maxime

Le mieux, c'est le vendredi, parce que c'est le dernier jour de classe.

1 Complète la légende des cartes météo. ———————————————————————

2 C'est ton tour de parler. ———————————————————————
Quel jour vas-tu proposer pour partir en piquenique ? Explique pourquoi.

3 Quels vêtements vas-tu emporter ? ———————————————————————

4 Avec quel camarade es-tu d'accord ? ———————————————————————

5 Explique pourquoi tu n'es pas d'accord avec les autres. ———————————————————————